Les éditions du soleil de minuit

3560, chemin du Beau-Site, Saint-Damien, (Québec), J0K 2E0

Historique de la série David Gérald

Le 1er mai 1988 était lancé un recueil à tirage limité, intitulé *Les Découvreurs*, constituant la première diffusion publique de David Gérald. Trois autres albums de ce type ont ensuite paru en 1989 (avec la participation d'Alain Vincent), 1990 et 1993 (avec la participation de Maurice Tourangeau). Dès septembre 1988, la revue *Jeunes du monde* voyait débuter également la publication des péripéties du politicien humaniste. Le tout fut interrompu en mai 1992 alors que le mensuel cessait son existence. *Un peuple en otage, Échec à la guerre* et *Balle perdue pour David Gérald* relancent, depuis 2001, les aventures du président Gérald sous la forme innovatrice des BD-rom.

Du même auteur et bédéiste,
aux Éditions du soleil de minuit :

Collection **BD-rom**
Série David Gérald
Un peuple en otage, 2001.
Échec à la guerre, 2003.

Du même illustrateur,
aux Éditions du soleil de minuit :

Collection **roman de l'aube**
Fausse alerte, de Christophe Loyer, 1999.

Jocelyn Jalette

Balle perdue pour David Gérald

Les éditions du soleil de minuit

Les éditions du soleil de minuit remercient

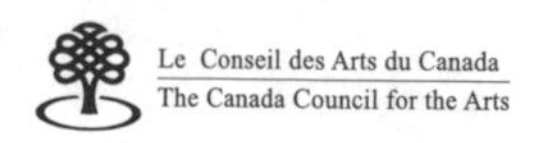

et la

Société
de développement
des entreprises
culturelles
Québec

de l'aide accordée à leur programme de publication.

Les éditions du soleil de minuit bénéficient également du Programme de crédit d'impôt pour l'édition de livres - Gestion SODEC - du gouvernement du Québec.

Illustrations et bandes dessinées : Jocelyn Jalette
Scénario du chapitre de l'âge adulte : Maurice Tourangeau
Texte « Quelle histoire ! » : Alain Vincent

Montage infographique : Atelier LézArt graphique
Révision linguistique : Lucie Michaud

Dépôt légal, 4e trimestre 2004
Bibliothèque nationale du Québec
Bibliothèque nationale du Canada

Catalogage avant publication de la Bibliothèque nationale du Canada

Jalette, Jocelyn, 1970 -

Balle perdue pour David Gérald

(BD-ROM)
Bandes dessinées.
Pour les jeunes de 11 ans et plus.

ISBN 2-922691-29-2

I. Titre. II. Collection.

PN6734.B337J34 2004 j741.5'9714 C2004-941212-4

Merci à Dulus Racine ;
les grands souvenirs
qu'il a de son pays d'origine
ont éclairé cette petite histoire.

En croisant le regard innocent d'un enfant, peut-on deviner si la vie fera de lui un héros ou un bourreau ?

À nos enfances,
et plus particulièrement
à celle de Marc-Olivier

Le petit David et ses amis passent
leur jeunesse insouciante à Joliette, une
localité québécoise typique. Alors qu'à
l'extérieur les écureuils gambadent sur
les branches enneigées, dans cette école
primaire, une classe de sixième année
se trouve en pleine séance de photos.
CHIMIE

Soudain, ladite séance est interrompue par la sonnerie annonçant la récréation.
DRIIIIIING!
OÙ L'AI-JE DONC MIS?
Tous s'habillent rapidement pour ensuite se précipiter dehors... Le jeu n'attendant pas!
BON, VOILÀ, J'AI ENFIN RETROUVÉ MON ARGENT!
HOLA! C'EST PAS BIENTÔT FINI DE BOUSCULER?!...
ÇA VA? JE PEUX T'AIDER À TE RELEVER?...
MERCI, OUI.

Ce n'est certes pas cet incident qui empêche cette marmaille de profiter de la neige pour s'amuser.
Au retour de la récréation, le groupe de David se retrouve en cours d'éducation physique.
CHÈRE CLASSE, NOUS ALLONS MAINTENANT FORMER LES ÉQUIPES POUR JOUER AU BALLON-BASKET...
OUI
VOUS LE SAVEZ, J'AIMERAIS BIEN POUVOIR VOUS CHOISIR TOUS COMME CHEFS D'ÉQUIPE... MAIS, FACE À CETTE IMPOSSIBILITÉ, JE DOIS LAISSER LE HASARD TRANCHER!
ET COMME D'HABITUDE LE "HASARD" CHOISIT LES MEILLEURS DE LA CLASSE!
À VOUS MAINTENANT DE SÉLECTIONNER VOS COÉQUIPIERS! ALLEZ-Y À TOUR DE RÔLE... ET TOUJOURS DANS UN MÊME SOUCI D'ÉQUITÉ!

FRANÇOIS.
BURP!
ÉMILE.
STÉPHANE.
GILLES.
MAURICE.
OUI
M. PAX
MARC-OLIVIER.
NATHALIE.
JIEFFE.
JOSÉE.
OUI
ALAIN.
JE VOIS QUE LES MEILLEURS SONT GARDÉS POUR LA FIN!
OUI
DITES MONSIEUR, TROUVEZ-VOUS ÇA JUSTE QUE CE SOIENT TOUJOURS LES MÊMES QUI RESTENT LÀ EN DERNIER?... CEUX DONT PERSONNE NE VEUT!
DE BONS RÉFLEXES, GÉRALD!... BRAVO!
PAF!
AÏE!

Peu après l'ecole, chez David.
À L'INTERNATIONAL ; LE PREMIER MINISTRE FRANÇAIS VIENT DE NOMMER UN NOUVEAU MINISTRE DES AFFAIRES ÉTRANGÈRES...
IL S'AGIT DE MONSIEUR LOUIS DE FOUTÈS, UN DÉPUTÉ BIEN CONNU DANS L'HEXAGONE POUR SES FORMULES POLITIQUES CLAIRES.
VOTEZ POUR MOI! VOUS AUREZ TOUT ET VOUS NE PAIEREZ RIEN!
SON PREMIER MANDAT CONSISTE À TROUVER UNE SOLUTION À LA DICTATURE DUVALIÉRISTE QUI SÉVIT EN HAÏTI!...
JE M'OCCUPE DE TOUT!... J'AI MÊME UN VAGUE COUSIN LÀ-BAS ... FAITES-MOI CONFIANCE! HÉ! HÉ! HÉ!
DING! DONG!
DAVID, TU PEUX ALLER OUVRIR S'IL TE PLAÎT?
OUI, MAMAN.
OH?... MAIS QUE FAIS-TU LÀ?...
JE T'AI SUIVI JUSQU'ICI POUR TE REMERCIER DE M'AVOIR AIDÉE À LA RÉCRÉATION.
PAS DE PROBLÈME! CE N'EST PAS DE TA FAUTE SI TU ES TOMBÉE SUR L'ARGENT QUE JE VENAIS TOUT JUSTE D'ÉCHAPPER!... ET RASSURE-TOI, J'AI TOUT RÉCUPÉRÉ!

QUI EST-CE, DAVID?
EUH?... C'EST VRAI, JE NE SAIS MÊME PAS TON NOM...
LAÏKA... MAIS LAISSE, JE VAIS ALLER ME PRÉSENTER MOI-MÊME.
C'EST UNE PETITE CAMARADE À TOI, DAVID? SOYEZ LA BIENVENUE ICI, MADEMOISELLE.
HEUREUSE DE VOUS RENCONTRER MADAME GÉRALD... ET TON PAPA, DAVID, IL N'EST PAS LÀ?
J'♥ MANGER
BEN QUOI?!... OÙ ELLE VA TA MAMAN?... ON DIRAIT QU'ELLE S'EST FÂCHÉE?...
ÇA VA, TU NE POUVAIS PAS SAVOIR QUE JE N'AI JAMAIS CONNU MON PÈRE... ET MA MÈRE S'ENTÊTE À NE RIEN VOULOIR ME DIRE SUR LUI!
ABSOLUMENT RIEN?...
RIEN!... NI SON NOM, NI S'IL EST TOUJOURS VIVANT!...
ET LE RESTE DE TA FAMILLE, TU LA CONNAIS?...
SEULEMENT LES GÉRALD, CELLE DE MA MÈRE... RIEN SUR L'AUTRE.
TES GRANDS-PARENTS SONT LOIN D'ICI?...
PAS DU TOUT, MAIS ILS SONT AUSSI SILENCIEUX QUE MA MÈRE LÀ-DESSUS... SI C'EST À ÇA QUE TU PENSES...
VRAIMENT?

Et la fin de semaine suivante...
C'EST GENTIL, LES ENFANTS, D'ÊTRE VENUS NOUS VOIR!
18

J'AI ICI DES BISCUITS, ET VOUS ALLEZ SÛREMENT BOIRE QUELQUE CHOSE?...
OUI, DU LAIT S'IL VOUS PLAÎT!
MERCI GRAND-MÈRE!
BISCUITS

VOUS AVEZ UN HIBOU DANS UNE CAGE?... COMMENT S'APPELLE-T-IL?...
POUR ÊTRE PRÉCIS, C'EST UN HARFANG DES NEIGES... ET IL SE NOMME HARFOU.
NOUS L'AVIONS TROUVÉ BLESSÉ, LORS D'UNE PROMENADE EN FORÊT, IL Y A PLUSIEURS MOIS. SANS DOUTE SA MÈRE L'AVAIT-ELLE CRU MORT. DEPUIS, IL VIT AVEC NOUS ET DAVID L'A BAPTISÉ.
AH! OUI?...
JE VAIS CHERCHER VOS VERRES... ENSUITE, NOUS REGARDERONS DES PHOTOS.
HARFOU?...
QUOI?... C'EST JOLI COMME NOM!

TIENS, LAÏKA.
MERCI MADAME.
QU'Y A-T-IL ?...
DÉSOLÉE, MAIS VOTRE LAIT A UN GOÛT BIZARRE !...
AH ! OUI ?... C'EST EMBÊTANT ÇA, CAR JE N'EN AI PAS D'AUTRE !
SNIF ! SNIF !
DULUS ! VA DONC ACHETER DU LAIT POUR LA PETITE, MON LAPIN PRESBYTE.
ELLE NE PEUT PAS BOIRE DES COCHONNERIES COMME TOUS LES AUTRES ENFANTS, CELLE-LÀ ?...
ACTUALITÉS
ET EN PLUS IL NEIGE À BOIRE DEBOUT ! GRRMBL !
IL EST GENTIL VOTRE MARI !...
18
EN ATTENDANT, NOUS ALLONS COMMENCER À FEUILLETER L'ALBUM DE FAMILLE.
EUH ! GRAND-MÈRE... COMME JE L'AI DÉJÀ VU SOUVENT, TU PERMETS QUE JE REGARDE LA TÉLÉ ?...
BIEN SÛR, DAVID.
NE METS PAS LE SON TROP FORT, S'IL TE PLAÎT !
CE SERA COMME SI JE N'ÉTAIS PAS LÀ !...

LE MINISTRE DE FOUTÈS, À LA SUITE DE SA RENCONTRE AVEC LE CHEF D'ÉTAT HAÏTIEN, A DÉNONCÉ LA CAMPAGNE DE CALOMNIE ASSOCIANT LE PRÉSIDENT DUVALIER À UN DICTATEUR...

COMMENÇONS PAR LA CHAMBRE DE MES GRANDS-PARENTS... C'EST LÀ QUE J'AI LE PLUS DE CHANCES DE DÉCOUVRIR DES TRACES DE MON PÈRE!

JE DOIS CHERCHER VITE, ET TOUT REPLACER CORRECTEMENT!

LE BOEUF VOUS RAMÈNE LE LAIT DE VACHE POUR LE PETIT VEAU!... CECI DIT, AVEC CE QU'IL TOMBE DEHORS, J'AI MÊME MOUILLÉ MON CUIR INTÉRIEUR, JE VAIS DONC ME CHANGER!
CHER DULUS, IL A TOUJOURS LE MOT POUR RIRE. HA! HA! HA!
LAIT

ET VOTRE MARI, OÙ VA-T-IL SE CHANGER?...
ÉVIDEMMENT DANS NOTRE CHAMBRE, POURQUOI?...
LAIT

OHO!
M. DE FOUTÈS A CHALEUREUSEMENT REMERCIÉ LE PRÉSIDENT DUVALIER POUR L'ACHAT DE MATÉRIEL MILITAIRE FRANÇAIS PAR L'ARMÉE HAÏTIENNE...
TIENS, C'EST INTÉRESSANT ÇA!...
CLOC!
BADANG
QUE SE PASSE-T-IL EN BAS?
CE N'EST RIEN, DULUS... SANS LE VOULOIR, LA PETITE A FAIT TOMBER LA CAGE D'HARFOU!
OUF!
MERCI, LAÏKA!

Plus tard, dans un parc tout près de la maison des grands-parents.
ALORS DAVID, QU'AS-TU TROUVÉ?... DIS-MOI VITE!
OH! C'EST TOUT SIMPLE : DANS UN TIROIR J'AI DÉCOUVERT UNE BOÎTE DE TÔLE IDENTIFIÉE AVEC MON PRÉNOM. JE CROYAIS Y VOIR DES PHOTOS DE MOI, MAIS PAS DU TOUT, C'ÉTAIT PLUTÔT...
DIS, TU FAIS QUOI, LAÏKA?...
JE PRATIQUE LES MOUVEMENTS DE KARATÉ QUE J'AI VUS CETTE SEMAINE DANS L'ÉPISODE DE DOCTEUR JUSTICE. *
* B.D. paraissant dans PIF-GADGET.
MERCI DE TON AIMABLE ATTENTION!
MAIS JE T'ÉCOUTE : QU'Y AVAIT-IL DANS LA BOÎTE DE TÔLE?... JE SUIS SUSPENDUE À TES LÈVRES!
LA BOÎTE CONTENAIT TOUT BÊTEMENT UNE BALLE DE TENNIS ET UNE LETTRE...
TU JOUES AU TENNIS, TOI?!...
PAS DU TOUT!... ET JE NE SAIS PAS CE QU'ELLE FAIT, PERDUE LÀ, CETTE BALLE...

ET LA LETTRE, QUE DIT-ELLE?...
ÉVIDEMMENT, JE N'AI PAS EU LE TEMPS DE LA LIRE... ALORS JE L'AI EMPRUNTÉE!...
MAIS, TES GRANDS-PARENTS VONT S'EN APERCEVOIR?...
OH! NON! JE VAIS EN FAIRE UNE PHOTOCOPIE, PUIS JE RETOURNERAI L'ORIGINAL À SA PLACE, DEMAIN. JE N'AURAI À DIRE QUE
HEU!.., ÇA VA LAÏKA?...
OUILLE!
Le lendemain après-midi à l'hôpital pédiatrique de Sainte-Justine.
HEMM!... DAVID...
ALORS MAMAN, COMMENT VA LAÏKA?...
EH! BIEN... LAÏKA, LORS DE SA CHUTE, A SUBI UN CHOC TRÈS DUR À LA COLONNE VERTÉBRALE ET...
...ET QUOI MAMAN?...
... ET... ELLE NE POURRA PLUS JAMAIS REMARCHER!

Voici le texte intégral de la lettre découverte par David dans les affaires de ses grands-parents :

Monsieur Jean-Claude Duvalier
Président de la République d'Haïti

Objet : condamnation à mort des révoltés d'une usine de balles

Monsieur le président,

Malgré tout le respect que je vous dois, je ne puis m'empêcher de questionner l'application, laissez-moi le souligner, abusive de la peine de mort en Haïti. J'aimerais profiter de cette lettre pour vous faire part de mes réflexions générales concernant ce sujet.

Savons-nous vraiment ce que signifie la peine capitale ? C'est la vie en noir et blanc, divisée entre les bons et les méchants. Avec les premiers qui sont persuadés d'avoir raison et rien à se reprocher contrairement aux derniers. C'est aussi évacuer le droit à l'erreur, autant pour le malfaiteur que pour son juge. Les erreurs judiciaires, sans être nombreuses, existent ! La plus belle arme des dictatures, c'est bien la mort pour un oui ou pour un non.

Ceci dit, je ne suis pas en train de rejeter l'horreur que certains peuvent commettre. Mais la vie, la vraie vie, se situe bien plus entre gris clair et gris foncé. Derrière le regard de chaque assassin s'est déjà trouvée l'âme d'un enfant innocent. Croyez-vous vraiment que le mal soit inscrit dans les gènes de quelques individus ?

Tous n'ont pas la chance de naître dans un milieu ouvert, paisible et compréhensif. Prenons par exemple un père violent ou une mère indifférente; voilà qui pousse une roue humaine dans un bien mauvais sens. Et où sommes-nous, nous qui aurions pu les voir, ou les aider peut-être ? Un avenir sans espoir peut pousser à commettre l'irréparable. Nous n'avons pas à excuser la violence, mais à comprendre ses causes. Il faut punir, mais pas fermer les yeux en se croyant absolument innocent. La peine de mort donne à penser que la violence de l'individu engendre celle de la société, alors que les deux s'alimentent mutuellement !

Je vous demande donc respectueusement, dans le cas qui nous préoccupe maintenant, la clémence. Aucune balle de tennis ne vaut la vie d'un être humain. Il faut connaître les conditions de travail inacceptables de ces ouvriers pour comprendre leur révolte.

Veuillez accepter, votre Excellence, l'assurance de ma très haute considération.

David Racine

David Racine
Ambassadeur d'Haïti
aux États-Unis d'Amérique

Malgré certaines épreuves, la vie doit bien continuer son cours. **L'âge** de nos amis **a changé**, et nous les retrouvons ainsi à la fin de leurs études secondaires. Après deux ans de préparation, c'est enfin la réalisation de leur stage en coopération internationale. Voici donc sept adolescents qui débarquent à Mayi Gate, l'aéroport de Port-au-Prince, capitale d'Haïti. Cette ancienne colonie française, qui a déclaré son indépendance en 1804, partage l'île d'Hispaniola avec la République dominicaine. Tristement, le "marron inconnu," cet esclave statufié appelant à la révolte, ne vit défiler que des dictateurs au Palais national.

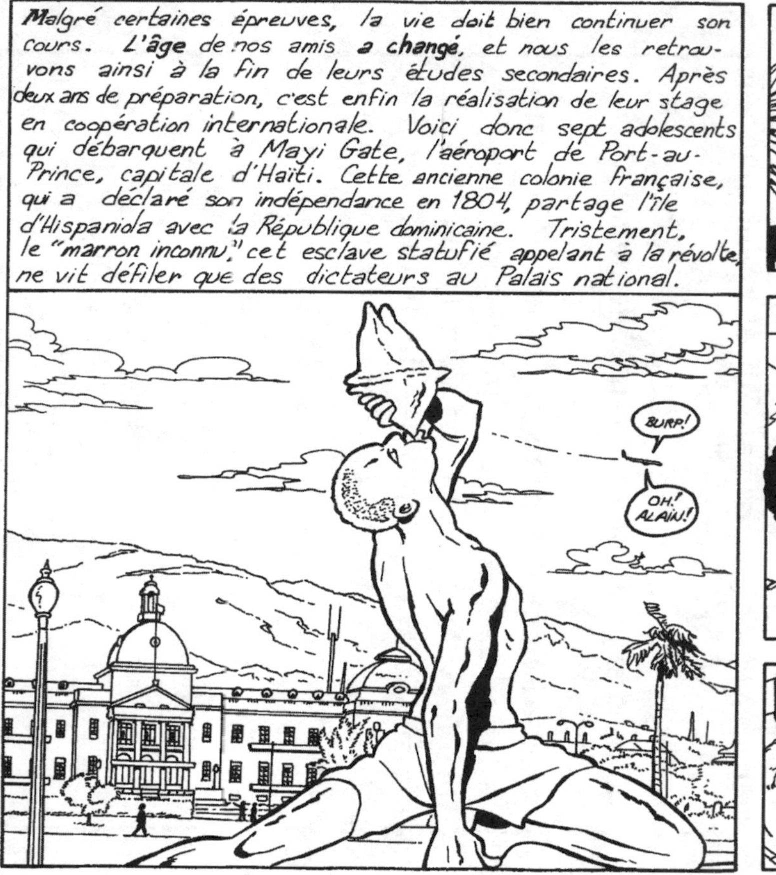

(1) Révolte sanglante contre les "Tontons Macoutes" après l'exil de Duvalier en 1986.

Plusieurs heures après.
MILOT S'ÉTALE AU PIED DES RUINES DU PALAIS SANS SOUCI, CONSTRUIT PAR CHRISTOPHE, LE ROI FOU!
HEU!... DITES-MOI, SOEUR ALINE, VOUS ROULEZ TOUJOURS À CETTE VITESSE?...
NOOON!... PARFOIS JE VAIS PLUS VITE, MAIS LES ROUTES SONT SI TORTUEUSES DANS CE PAYS!
BON, NOUS VOICI AU COUVENT... ALLEZ DÉPOSER VOS BAGAGES DANS LES CHAMBRES, LES ENFANTS! APRÈS UN LÉGER GOÛTER, NOUS VOUS FERONS VISITER LA COOPÉRATIVE!...
Et lors de la visite...
DIS-MOI, DAVID, TU AS TOUJOURS LE PROJET DE PROFITER DE CE STAGE POUR RECHERCHER DES INDICES SUR TON PÈRE?...
BIEN SÛR! LA LETTRE CRÉE UN LIEN AVEC CE PAYS. POUR L'INSTANT C'EST MON UNIQUE PISTE...
ET SI MA MÈRE A CRU BON DE CACHER LES SEULES TRACES DE MON PATERNEL CHEZ SES PARENTS, ALORS ÇA DOIT ÊTRE IMPORTANT!
COMMENT ESPÈRES-TU POUVOIR FOUILLER UN PAYS ENTIER?...
ON VERRA...

...AINSI, NOUS AVONS FORMÉ UNE COOPÉRATIVE AGRICOLE VISANT LA CULTURE DU CAFÉ.
C'EST DONC ÇA, UN PLANT DE CAFÉ?...
DEPUIS DES DÉCENNIES, LES GRANDES MULTINATIONALES EMPLOIENT, À DES SALAIRES DE MISÈRE, DES MASSES DE TRAVAILLEURS DU TIERS-MONDE. ICI, POUR ESSAYER D'ÉCHAPPER À CE DESTIN, NOUS NOUS SOMMES REGROUPÉS!...
QUEL GOÛT ÇA PEUT AVOIR AU NATUREL?
DÉSORMAIS, NOUS PAYONS DÉCEMMENT LES CUEILLEURS, NOUS ADMINISTRONS DÉMOCRATIQUEMENT LA COOPÉRATIVE ET NOUS Y RÉINVESTISSONS LES PROFITS TOUT EN RESPECTANT L'ENVIRONNEMENT.
BEUARK!

GRÂCE À CE NOUVEAU GENRE D'ENTREPRISE, LES CONSOMMATEURS DU MONDE PEUVENT MAINTENANT BOIRE UN CAFÉ SANS L'ARRIÈRE-GOÛT DE L'EXPLOITATION!
POUAH! CE N'EST, HÉLAS, PAS SON SEUL ARRIÈRE-GOÛT!...

OH! REGARDEZ CES PETITES NATURES DE CANADIENS!...
ÇA VIENT SE DONNER BONNE CONSCIENCE DANS NOTRE PLANTATION, MAIS, APRÈS, ÇA RETOURNE DANS SON CONFORT!...
HEY! VISE UN PEU; IL Y A MÊME UN EXILÉ REVENU NOUS RENDRE VISITE, PARMI EUX!

AH! PARDON, NOUS NE SOMMES PAS CANADIENS, MAIS BIEN QUÉBÉCOIS! ET MOI, JE NE SUIS PAS UN EXILÉ; MES ANCÊTRES SONT EFFECTIVEMENT PARTIS D'ICI, MAIS ÇA REMONTE À 1794!... POUR QUI VOUS PRENEZ-VOUS DONC?...
DE VRAIS TRAVAILLEURS, VOILÀ CE QUE NOUS SOMMES!... ET JE SUIS CERTAIN QUE VOUS N'OSERIEZ MÊME PAS NOUS AFFRONTER AU FOOTBALL?
NOUS N'AVONS AUCUNE CHANCE CONTRE EUX!... FUYEZ, PENDANT QUE JE COUVRIRAI VOTRE RETRAITE!
ÇA VA, JULES! ARRÊTE DE VOULOIR JOUER AU NOBLE MOUSQUETAIRE!
POUR VOUS DONNER UNE CHANCE, NOUS FERONS DES ÉQUIPES OUVERTES. À TOUR DE RÔLE, ON PIGE PARMI TOUS LES JOUEURS; LES TIENS COMME LES MIENS! ÇA TE VA?...
D'ACCORD!... À TOI LE PREMIER CHOIX.

Plus loin, dans un espace dégagé.
VINI, FRANSWA, MWEN CHWAZI W NAN EKIP MWEN!
POURVU QUE DAVID EN PRENNE DES COSTAUDS!
JE VAIS ENCORE ÊTRE LE DERNIER CHOISI!...
JOCELYN!
MOI?
Rapidement les équipes se forment... avec toutefois des résultats surprenants.
ÇA VALAIT BIEN LA PEINE D'AVOIR DU CHOIX POUR EN ARRIVER LÀ!

BON! SUR CE VERSANT DE COLLINE, JE SERAI À L'AISE POUR ASSISTER À CETTE JOUTE.
PAUVRE DAVID, JE LE TROUVE BIEN OPTIMISTE... CAR RIEN NE PROUVE QUE LA LETTRE SOIT BIEN DE LA MAIN DE SON PÈRE... ET OÙ CHERCHER?...
SNIF!
HEU!... JE VOUS DÉRANGE? JE PEUX ALLER PLUS LOIN SI VOUS VOULEZ?...
NON NON W PA DERANJE M DITOU.

Deux heures plus tard, la partie se termine par le massacre prévisible des Québécois 8 à 1.
JE SAIS CE QUE TU VAS DIRE, LAÏKA...

C'EST STUPIDE, MAIS J'AI VOULU PRENDRE MA REVANCHE SUR DES ANNÉES DE FRUSTRATION EN ÉDUCATION PHYSIQUE!... POUR UNE FOIS QUE JE ME RETROUVAIS CHEF D'ÉQUIPE!
POURQUOI TRAÎNES-TU DES RECUEILS DE CHANSONS?

ET COMMENT ALLONS-NOUS RÉUSSIR CELA, LAÏKA?...
LAISSE-MOI T'EXPLIQUER, DAVID...
BURP!

Ce soir-là.
COMME SOEUR JACQUELINE S'OPPOSE, POUR D'OBSCURES RAISONS, À CE QUE NOUS MONTIONS TOUS LES NEUF DANS LA VOITURE, NOUS ALLONS DIVISER LE GROUPE EN DEUX!
ET TOI, DAVID, TU VIENS AVEC MOI?...
JE NE ME SENS PAS TRÈS BIEN, SOEUR ALINE. JE PRÉFÈRE ATTENDRE LE SECOND GROUPE DANS DEUX JOURS.
TU M'ACCOMPAGNES, LAÏKA?...
NON, SOEUR JACQUELINE, DAVID ET MOI PARTONS DEMAIN AVEC SOEUR ALINE.
Tôt, le lendemain matin, le premier groupe quitte pour la citadelle La Ferrière.
VRRRRRR
Laïka, en automobile, demeure songeuse.
J'ESPÈRE NE PAS AVOIR COMMIS UNE ERREUR EN POUSSANT DAVID DANS CETTE AVENTURE!
David, quant à lui, a discrètement rejoint les jeunes travailleurs qui se rendent en camion à l'usine de balles de tennis de Port-au-Prince.

Plus tard dans la journée, Laïka, Jules et Alain, guidés par soeur Aline, ont le plaisir de découvrir une majestueuse forteresse. Sa construction, initiée par le roi Christophe et achevée en 1817, coûta la vie à 20 000 travailleurs!... Sis à 970 mètres d'altitude, ce lieu historique enflamme l'imagination du jeune Jules Dubrûle.
COMME J'AURAIS AIMÉ FAIRE PARTIE DE LA GARDE PERSONNELLE DE TOUSSAINT LOUVERTURE, CET ESCLAVE DEVENU LIBÉRATEUR D'UN PEUPLE. J'AURAIS VENDU CHÈREMENT MA VIE POUR PROTÉGER MON CHEF VÉNÉRÉ!...
ET BLABLABLA! UN: TU TE TROMPES D'ÉPOQUE, JULES! DEUX: SI TU AVAIS VRAIMENT DU COURAGE, TU AURAIS ACCOMPAGNÉ DAVID AUJOURD'HUI!
PARDON?
DE QUEL COURAGE PARLES-TU, ALAIN?... CE N'EST PAS UN EXPLOIT DE RESTER AU COUVENT À MILOT AVEC DAVID!... QUE VEUX-TU DIRE PAR LÀ?...
HEU!... JE VEUX DIRE QUE...

C'EST TON DERNIER COMMENTAIRE ALAIN?...
BEN...
Port-au-Prince accueillait, comme toutes les métropoles du tiers-monde, de nombreux paysans venus trouver du travail en ville. Ce n'est que la pauvreté qui, trop souvent, les attendait... Plusieurs se voyaient ainsi forcés d'accepter n'importe quel boulot, dans n'importe quelle usine.
ETINCELLE
BORLETTE

(1) La gourde est la monnaie haïtienne, à l'époque chacune valait environ 0,20 $ ou 0,12 euro.

BIEN, PATRON!

ET N'Y REVIENS PLUS, INGRAT!

QUEL CULOT TOUT DE MÊME!... MAIS AVEC TOUT ÇA, JE VIENS DE PERDRE LE PIED QUE J'AVAIS DANS L'USINE... PIED QUE J'AI D'AILLEURS REÇU AUTRE PART! COMMENT Y RETOURNER MAINTENANT?

HEU!... MONSIEUR CRUCHON, PUIS-JE ALLER AU PETIT COIN, S'IL VOUS PLAÎT?...
DÉSOLÉ! TU CONNAIS LA RÈGLE : UNE SEULE FOIS PAR JOUR!... ET TU Y ES DÉJÀ ALLÉ, ALORS CE SERA POUR DEMAIN!...

CLANG

QU'EST-CE QUE C'EST, MONSIEUR CRUCHON?...
RIEN DU TOUT, MES PETITS... CONTINUEZ VOTRE TRAVAIL!
JE FAIS ENQUÊTE; C'EST MON MÉTIER... NE VOUS EN FAITES PAS!
ME REVOICI À L'INTÉRIEUR, MAIS JE NE SAIS TOUJOURS PAS OÙ ET QUOI CHERCHER?!
OH! LE BUREAU DE LA DIRECTION!... S'IL Y A QUELQUE CHOSE À TROUVER, C'EST SÛREMENT LÀ QUE JE LE DÉCOUVRIRAI!
DIRECTION

LÀ! CETTE PHOTO DE GROUPE! J'Y RECONNAIS LE PATRON DE L'USINE, MAIS EN PLUS JEUNE!... ELLE EST SIGNÉE PAR TOUS CEUX QUI Y FIGURENT...

SAPRISTI! VOILÀ LA MÊME SIGNATURE QUE SUR LA LETTRE!!
SI C'EST MON PÈRE, ALORS IL SE TROUVE SUR CETTE PHOTO!
ENCORE VOUS, JEUNE HOMME?!

MON PETIT, VOUS ALLEZ AVOIR DES ENNUIS!

C'EST VOUS QUI ALLEZ AVOIR DES ENNUIS, LORSQU'ON APPRENDRA VOTRE MANIÈRE DE TRAITER LES GENS ICI! JE SUIS CITOYEN QUÉBÉCOIS ET MON PÈRE A DÉNONCÉ CETTE HONTE IL Y A DÉJÀ LONGTEMPS!... VOYEZ CECI!
PETIT IMPERTINENT, JE...
NON, LAISSEZ-LE!... ALLEZ PLUTÔT VOUS OCCUPER DES STAGIAIRES.
MAIS...

REDONNE-MOI LA PHOTO ET JE VAIS T'EXPLIQUER DES CHOSES!... COMMENT T'APPELLES-TU?...
DAVID GÉRALD.
AINSI, TA MÈRE A CHOISI DE TE PRÉNOMMER COMME TON PÈRE POUR CONSERVER UN SOUVENIR DE LUI... C'ÉTAIT LE MIEUX QU'ELLE POUVAIT FAIRE!
COMMENT CELA?
HAÏTI

SUR CETTE PHOTO DU PREMIER GOUVERNEMENT DU PRÉSIDENT JEAN-CLAUDE DUVALIER, TON PÈRE EST LE DEUXIÈME À PARTIR DE LA DROITE SUR LA TROISIÈME RANGÉE. À L'ÉPOQUE, J'AVAIS ÉTÉ NOMMÉ MINISTRE, ET LUI, AMBASSADEUR AUX ÉTATS-UNIS.
"POUR TE METTRE EN CONTEXTE, FRANÇOIS DUVALIER, LE PÈRE, FUT UN POPULAIRE MÉDECIN DE CAMPAGNE. CE QUI LUI VALUT LE SURNOM DE "PAPA DOC". IL ACCÉDA À LA PRÉSIDENCE DE LA RÉPUBLIQUE EN 1957."

David Racine

"RAPIDEMENT, LE POUVOIR LE RENDIT FOU, ET IL SE FIT PROCLAMER PRÉSIDENT À VIE EN 1964. UN JOUR, SENTANT SA FIN VENIR, IL REMIT CE TITRE À SON FILS JEAN-CLAUDE, DIT "BÉBÉ DOC". CERTAINS, POUR PROTÉGER LEUR FAMILLE, COLLABORAIENT EN PARTIE AU SYSTÈME."
"C'EST GUIDÉ PAR UN TEL SENTIMENT DE RÉSIGNATION QUE TON PÈRE ACCEPTA UNE RESPONSABILITÉ DIPLOMATIQUE. IL PASSAIT BEAUCOUP DE TEMPS LOIN DE SA FEMME, TA MÈRE, PARTAGÉ ENTRE TROIS PAYS."
UN JOUR, SA LIMITE DE TOLÉRANCE FUT ATTEINTE!
C'EST INACCEPTABLE, JEAN-BERTRAND!
MAIS ENTRE DONC, CHER DAVID!...

J'AI APPRIS QU'ON VA EXÉCUTER LES EMPLOYÉS DE TON USINE QUI ONT OSÉ SE RÉVOLTER CONTRE TES TRAITEMENTS INHUMAINS!... TU DOIS EMPÊCHER CELA!
CALME-TOI!... CES EXEMPLES SONT NÉCESSAIRES POUR MAINTENIR L'AUTORITÉ!
RÉPUGNANT PERSONNAGE! JE VAIS DONC FAIRE APPEL AU PRÉSIDENT ET AMEUTER LES MÉDIAS INTERNATIONAUX!...
COMME TU VEUX, DAVID!
DIRECTI
MONSIEUR LE PRÉSIDENT?... JE CROIS QUE NOUS AVONS UN PROBLÈME AVEC L'AMBASSADEUR RACINE...

...ET C'EST LA DERNIÈRE FOIS QUE J'AI VU TON PÈRE!
QUE... QUE LUI EST-IL ARRIVÉ?
LES MACOUTES L'ONT FAIT DISPARAÎTRE TOUT SIMPLEMENT... SOIT DANS LE CHARNIER DE TITENYEN OU, AVEC UN PEU DE CHANCE, POURRIT-IL DANS UNE CELLULE SOMBRE ET HUMIDE DE LA PRISON DE FORT DIMANCHE.
GULP!... ET LA LETTRE?...
NOUS AVIONS DÉTRUIT LES COPIES TROUVÉES DANS LES AFFAIRES DE TON PÈRE... ON PEUT SUPPOSER QU'IL A EU LE TEMPS D'EN ENVOYER UNE AUTRE AU QUÉBEC, VOILÀ TOUT!
ET MOI?... QU'ALLEZ-VOUS FAIRE DE MOI?
MAIS RIEN!... ET JE VAIS MÊME TE LAISSER PARTIR AVEC LA PHOTO EN SOUVENIR!
AH! OUI?...
DEPUIS LE DÉPART EN EXIL DE "BÉBÉ DOC", TOUTE CETTE HISTOIRE N'A PLUS D'IMPORTANCE. DE PLUS, LES OCCIDENTAUX PRÉFÈRENT FERMER LES YEUX SUR LA MISÈRE PLUTÔT QUE DE PAYER PLUS CHER LEURS PRODUITS DE CONSOMMATION, ALORS...
ET PERSONNE NE PEUT RIEN CHANGER À TOUT CELA!

C'est bien mélancolique que David fait du roue libre ① pour retourner à Milot.
① Faire du pouce.
Là-bas, sa disparition n'était plus un secret. Lorsqu'il arrive enfin, David est sévèrement réprimandé!

Il ne pouvait partager tout ce qu'il venait de vivre qu'avec Laïka. Elle seule savait, elle seule comprendrait...

JE SAIS QUE ÇA PEUT PARAÎTRE FACILE À DIRE, DAVID, MAIS TU DOIS GARDER CONFIANCE!... PEUT-ÊTRE TON PÈRE A-T-IL PU ÉCHAPPER À LA SAUVAGERIE DES MACOUTES, QUI SAIT?
OUI... PEUT-ÊTRE!... L'ESPOIR GARDE VIVANT, JE SUPPOSE...

DAVID! LAÏKA! SAVEZ-VOUS CE QU'ON POURRAIT FAIRE UNE FOIS DE RETOUR AU QUÉBEC?...
SE COTISER POUR T'OFFRIR DES COURS DE DESSIN?...

NOOOON!...NOUS DEVRIONS FONDER UNE COOPÉRATIVE OÙ L'ON VENDRAIT LE CAFÉ ÉQUITABLE DE NOS AMIS DE MILOT!
BONNE IDÉE!... ET L'ON OUVRIRAIT DES LIEUX DE DÉGUSTATION!...

AH! NON! PAS DES LIEUX DE DÉGUSTATION! SI NOUS VOULONS EN VENDRE, IL NE FAUT SURTOUT PAS QUE LA CLIENTÈLE PUISSE Y GOÛTER AVANT!
MAIS VOYONS, JOCELYN...
Après les six semaines de stage, chacun retourna au Québec enrichi de cette expérience haïtienne. David, quant à lui, n'avait pas retrouvé son père, mais il avait au moins levé un grand coin du voile qui couvrait son passé.
♪ HEUREUX D'UN PRINTEMPS QUI M'CHAUFFE LA COUENNE... ♪
C'EST QUOI LA COUENNE, JULES?
HEU!... DANS NOTRE MERVEILLEUX ET IMAGÉ LANGAGE QUÉBÉCOIS, LA COUENNE C'EST... HEU!... C'EST ÇA!
Jocelyn 2004

Les deux chapitres qui suivent vous présentent une histoire que David Gérald ne connaîtra peut-être jamais. Celle de son père…

Collaboration

Avril 1971. Le nouveau chef d'État de la république d'Haïti vient de nommer son premier gouvernement. Jean-Claude Duvalier succède ainsi à son père comme président à vie de ce pays surnommé la perle des Antilles. Les ministres, les ambassadeurs et divers personnages importants du régime se pressent les uns contre les autres pour être les plus visibles sur la photo officielle. Celle-ci enfin prise, les dignitaires quittent les marches de l'entrée principale du Palais national situé à Port-au-Prince, la capitale du pays. Tous se rendent ensuite à l'intérieur pour participer au somptueux banquet organisé en leur honneur.

Parmi les invités se trouve David Racine, un homme dans la trentaine originaire de Côte-de-fer, dans le sud de l'île. Avant de s'asseoir, ce dernier prend le temps de se présenter aux autres convives de la table.

– Heureux de vous rencontrer, Majesté… Je suis le nouvel ambassadeur d'Haïti aux États-Unis.

La jeune princesse de Belgique, Marianne, avait déjà, du haut de ses cinq ans, un caractère bien trempé qu'elle démontra aussitôt.

– S'il vous plait, mon brave, veuillez lâcher ma main. Mon majordome, dit-elle en pointant l'homme assis à ses côtés, se fera un plaisir de vous apprendre la bienséance à observer face à un membre de la royauté, si vous le désirez !

David eut peine à ne pas laisser paraître un léger sourire devant ce petit bout de femme qui lui récitait ses phrases apprises par cœur. Malgré tout, il sut conserver son sérieux et continuer son tour de table. Il prit place finalement à la gauche d'un Haïtien sensiblement de son âge.

– Enchanté, monsieur Racine, je me présente à mon tour : Jean-Bertrand Carotitid. Le défunt président Duvalier, le père de l'autre bien sûr, m'avait nommé ministre de la Sécurité intérieure, il y a de cela quelques années. « Bébé doc » a eu la… disons… la gentillesse de me conserver à ce poste ! Et vous, mon cher compatriote, comment avez-vous accédé au titre d'ambassadeur ?

– C'est très simple : parmi tous les proches du président, j'étais le seul homme alphabétisé qui parlait anglais et qui ne craignait pas de prendre souvent l'avion.

Après cette discussion ironique, les deux hommes libérèrent un rire très communicatif. Seul le cri de douleur lancé soudainement par la princesse Marianne interrompit la joie des deux compatriotes. Tous les regards des invités proches se tournèrent vers l'enfant qui pleurait maintenant à chaudes larmes. Le majordome, décontenancé par le changement d'attitude de sa protégée, ne semblait pas comprendre plus que les autres ce qui se passait.

– Qu'y a-t-il, Votre Altesse ? ? ?… Qu'avez-vous donc ?…

Etouffée par ses propres pleurs, la petite fille ne parvenait même pas à esquisser une réponse. Le choc que reçut David derrière la tête expliqua finalement ce mystère. Le pied agité d'un jeune garçon, soutenu dans les airs par un gendarme costumé à la française, avait touché le crâne de notre malheureux ambassadeur. Tandis que ce dernier reprenait ses esprits, son collègue Jean-Bertrand s'exclama :

– Monsieur Cruchon !… Que faites-vous donc là avec ce petit énervé ?

Le policier répondit de façon sèche mais respectueuse.

– J'ai surpris ce vilain garnement à tirer les cheveux de cette pauvre enfant alors qu'il s'était dissimulé sournoisement derrière sa chaise. Je l'ai intercepté avant qu'il n'ait le temps de déguerpir, patron !

– Bravo, monsieur Cruchon ! Mais qui est-il donc, ce jeune homme ?…

La réponse arriva sous la forme de deux costauds aux lunettes noires qui soulevèrent de terre le frêle gendarme. Ils empoignèrent doucement le garçon et laissèrent ensuite retomber durement le policier. Jean-Bertrand se leva alors avec énergie pour demander des explications aux importuns.

– Qu'est-ce que tout cela signifie ? ? ? Messieurs, je suis ministre du nouveau gouvernement haïtien et je vous somme de vous expliquer !

L'un des deux colosses prit la parole après quelques secondes d'hésitation.

– Nous sommes les gardes du corps de Son Excellence, Shéry Mopitouh…

Jean-Bertrand, le ministre de la Sécurité intérieure, se gonfla soudainement de colère et coupa la parole au colosse de près de deux mètres.

– Alors vous direz à son papa de garder cette petite peste bien assise à sa place dorénavant ! Ce garnement vient de déranger l'héritière de « Babeth deux » souveraine de Belgique ! Vous risquez l'incident diplomatique, mon petit bonhomme !

Le garde du corps termina sa phrase sans se préoccuper le moins du monde du ministre irrité qu'il dominait physiquement de plus d'une tête.

– ...Shéry, fils légitime de notre bien-aimé président de la république du Zaïre, le général Mopitouh.

Sans besoin de plus de détails, le ministre haïtien venait de réaliser le plat dans lequel il se mettait les pieds. C'est lui qui frôlait l'incident diplomatique ! Le Zaïre, alors connu sous le nom de Congo, constituait l'ancienne colonie africaine de la Belgique. Jean-Bertrand avait ainsi mis le doigt sur une situation tendue. Les relations entre ces deux pays étant toujours délicates...

David, enfin remis de son coup à la tête, décida de profiter de cette distraction pour aller voir ailleurs s'il y était. Il s'excusa auprès des autres convives et s'amusa à voir son collègue bafouiller des excuses aux deux costauds zaïrois.

Tout en quittant la salle de réception du Palais national, il réfléchit à part soi qu'il y avait décidément bien peu de représentants de pays démocratiques présents à ce banquet. François Duvalier avait, faut-il le dire, instauré une terrible dictature en Haïti. Plusieurs autres nations du monde ne croyaient finalement pas beaucoup aux chances pour le nouveau régime de s'assouplir.

Lui, de façon un peu résignée, n'avait-il pas l'obligation d'y croire au moins un peu ? Sinon que faisait-il là ?...

Sa réflexion fut interrompue par une mignonne jeune fille qui lui tendait un bouquet de fleurs.

– Voici pour vous, monsieur l'ambassadeur !

– Merci, ma petite... mais... mais pourquoi me donnes-tu ces fleurs ?

– C'est une dame à l'extérieur qui m'a demandé de vous les remettre, voilà tout !

Sans plus attendre, la jeune fille s'éclipsa. David resta alors seul avec son bouquet dans l'escalier principal du Palais national. En observant les fleurs, il remarqua enfin une discrète carte de vœux. Sur le dessus se lisait une étrange inscription : *Remettre à votre femme seulement.* Tout en prenant place dans une voiture officielle, il comprenait de moins en moins. Le chauffeur de l'automobile n'osa pas déranger son client perdu dans ses pensées.

* * *

Rendu peu après dans sa chambre, l'ambassadeur cherchait toujours une logique à cette missive et à sa curieuse livraison. Devait-il l'ouvrir ou attendre neuf jours lorsqu'il retrouverait Émeline, son épouse québécoise ? David se résigna finalement à patienter jusqu'à son arrivée à Washington, la capitale des États-Unis d'Amérique.

– Tout ce que je souhaite là-dedans, c'est que personne n'ait le culot de faire parvenir une lettre d'amour à ma femme par mon entremise. Ce serait un comble tout de même !

Et l'ambassadeur de s'endormir sur cette pensée tout en débutant son marathon d'attente.

* * *

Enfin de retour à ses bureaux de fonction, en ce matin du premier mai, l'ambassadeur d'Haïti tournait en rond en espérant que son calvaire se terminerait bientôt.

– Où Émeline peut-elle bien traîner ? L'autobus serait-il en retard ? Si seulement elle m'avait précisé son heure d'arrivée. Ainsi, je ne serais pas obligé d'attendre son appel. Déjà qu'elle m'a interdit d'ouvrir sa lettre avant qu'on ne se voie !

La sonnerie du téléphone interrompit David en train de fulminer contre le temps qui passe parfois trop lentement. Sa secrétaire lui annonça à l'autre bout de la ligne qui appelait.

– Monsieur Racine, c'est votre belle-mère en direct du Québec.

– Merci, Justine, vous me rassurez, je croyais qu'elle se trouvait à Washington !

David n'eut même pas le temps d'ajouter sa touche d'ironie en répondant.

– Quel plaisir, belle-ma…

– Oubliez les politesses, cher gendre collaborateur ! J'ai une excellente nouvelle à vous apprendre…

Collaborateur ! Voilà bien le mot que David ne supportait pas d'entendre ! La mère d'Émeline touchait là un point sensible.

– Je ne collabore pas, madame !... Je... Je participe simplement à un gouvernement...

– ... à un gouvernement dictatorial, cher gendre !...

– MAIS PAS DU TOUT ! Enfin... Oui, un peu... C'était le cas auparavant, mais si nous voulons que les choses s'améliorent, il faut y travailler. J'ai simplement choisi de le faire à l'intérieur du système pour mieux le combattre.

– Vous ne combattez rien du tout, et je vous affirme plutôt que vous le cautionnez ! Alors lâchez-moi avec vos belles idées qui ne servent qu'à apaiser votre conscience... De toute manière, nous ne faisons que répéter les mêmes arguments depuis deux semaines ! Changeons de propos, je dois vous apprendre que...

L'ambassadeur interrompit sa belle-mère pour laisser sa panique s'exprimer.

– Elle ne viendra plus me rejoindre, c'est cela ? Elle a un autre amoureux, c'est ça ? Je me doutais bien de quelque chose ! ! !

– Mais arrêtez de vous énerver, cher gendre paranoïaque... et collaborateur ! Émeline n'a pas eu un amant, mais bien un enfant !

– Un enfant ?...

Le silence de David exprima le choc du retour à sa mémoire d'un léger détail : sa femme était sur le point d'accoucher ! Il ne put que bafouiller la suite de sa pensée.

– Un enfant... c'est... c'est bien mieux qu'un amant, n'est-ce pas, belle-enfant ? Et quand est-il né notre amant ?

– Euh !... Je crois que vous feriez mieux de vous calmer un peu, cher gendre qui a su me faire grand-mère... Il est né ce matin vers 2h40. Nous avons bien sûr tenté de vous rejoindre lorsque vinrent les premières contractions, mais vous étiez déjà en route pour Washington ! J'y pense, pourquoi me parlez-vous d'un amant depuis tantôt ?

– Écoutez, bel-amant... Euh ! pardon... belle-maman... je n'ai pas le temps de vous expliquer. Avant de prendre l'avion pour Montréal, je désirerais parler à Émeline, est-elle là ?...

– Elle se réveille justement, je vous la passe... Au revoir, cher gendre confus !

La joie de sa paternité nouvelle n'avait cependant pas éclipsé la préoccupation précédente de David. Sous le coup de la nervosité, l'ambassadeur défila en rafale tout ce qu'il avait à dire.

– Allô, Émeline ? Comment vas-tu ? Le bébé va bien ? J'arrive avec le prochain vol pour le Québec, rassure-toi ! Tu permets que j'ouvre ta lettre ? À quel hôpital es-tu ? De grâce, ne laisse plus ta mère m'appeler !

– Une question à la fois, mon chéri... Tout le monde se porte à merveille ici... Ma mère t'a rejoint à Washington, n'est-ce pas ?

– Bien entendu !

– Alors je t'autorise à ouvrir le message si ça peut te faire plaisir et...

Émeline ne put même pas terminer sa phrase que son époux lui disait déjà merci dans un enthousiasme délirant. Il prit à peine le temps de préciser qu'il partait de ce pas et raccrocha sans plus attendre. La jeune mère, allongée à Joliette sur son lit d'hôpital, ne put que constater l'énervement de son mari et n'eut pas d'autre choix que d'attendre son arrivée.

* * *

David n'avait pas encore regagné son appartement pour préparer ses bagages, qu'il ouvrait déjà la mystérieuse enveloppe à bord du taxi. Le message, dont il put enfin prendre connaissance, ne répondit finalement pas à ses attentes, mais soulagea à tout le moins certaines craintes.

QUELLE HISTOIRE !

Il nous arrive parfois de vivre un événement difficile à expliquer à quelqu'un d'autre. Vous savez, le genre de situation que nous avons bien souvent du mal à comprendre nous-mêmes alors que nous venons tout juste de la vivre.

Tout en nous remettant de nos émotions, nous nous demandons déjà à qui en parler et, surtout, comment parvenir à raconter ce genre d'histoire qui, règle générale, arrive toujours aux autres. Et, bien souvent, nous sommes les premiers à ne pas les croire quand ils nous racontent leur aventure.

Nous nous sentons soudain bien stupides de ne pas les avoir écoutés avec attention, de ne pas avoir voulu en savoir plus, ou même de nous être injustement moqués d'eux tandis qu'ils tentaient simplement de partager leur histoire avec nous.

Mais, comme nous ne pouvons pas revenir en arrière, nous espérons que nos anciennes « victimes » ne seront pas aussi dures à notre égard, ou encore mieux, qu'elles ne se souviendront plus de notre scepticisme.

« C'est beau de rêver ! » me direz-vous.

Comment imaginer qu'elles puissent oublier si aisément un moment tellement embarrassant ? Nous pouvons facilement supposer que ce genre de moment reste longtemps gravé dans notre mémoire.

Arrêtons-nous quelques instants à penser à des gens, des amis peut-être même, nous pointant du doigt, répétant encore et encore nos dernières paroles, riant haut et fort jusqu'à en avoir mal au ventre.

Pouvons-nous vraiment supposer que nous serions capables de balayer du revers de la main ces souvenirs aussi tristes que pénibles ?

Soyons honnêtes ! Vous comme moi savez que les malheurs sont toujours les derniers à quitter notre mémoire. Alors que faire ?

Après de longues réflexions, j'en suis venu à la conclusion qui me semble la moins complexe et la moins difficile à vivre : me livrer à vous.

Comme vous ne me connaissez pas, il est impossible que vous me reconnaissiez et que vous me pointiez du doigt. Il y a très peu de chance que je vous entende répéter mes dernières paroles en vous tordant de rire.

Et même si cela arrivait, je ne saurais pas que vous parlez de moi et ça ne me dérangerait pas du tout. Alors je vais vous raconter ma petite anecdote :

Il y avait sept gars sur un pont. L'un d'entre eux avait les cheveux longs et les autres, ça ne les dérangeait pas.

Ouf ! Merci de m'avoir écouté. Mais là, je me sens beaucoup mieux !

Sa première réaction suite à la lecture en fut une de déception.

– C'est quoi, ce charabia ? Qui peut bien envoyer un tel texte à ma femme ?...

Bref, l'ambassadeur ne comprit rien de plus à cette étrange lettre. Il eut beau la relire maintes et maintes fois, le sens du message, s'il y en avait un, lui échappait toujours. Il ne lui restait qu'à patienter encore jusqu'à son arrivée à Joliette où se trouvaient Émeline... et sa charmante mère ! Parmi toutes ses pensées consacrées à la fameuse lettre, une autre réussit tout de même à se faufiler dans son esprit :

– Oups !... j'ai oublié de demander si c'était un garçon ou une fille ?

* * *

Le bouquet de fleurs à deux jambes, qui arpentait les corridors du centre hospitalier depuis déjà une dizaine de minutes, rejoignit enfin sa destination. Émeline Gérald et ses parents découvrirent soudainement, dans l'encadrement de la porte, une curieuse apparition florale et parlante.

– Coucou tout le monde, c'est moi !

La réplique fusa immédiatement :

– Oh ! Quelle surprise !... Un bouquet collaborateur vient d'entrer !

Tout en déposant ses fleurs, David montait le ton, mais fut interrompu par son épouse.

– Ça suffit comme ça, vous deux ! Comme je viens d'obtenir mon congé, nous pourrons alors régler en privé nos différends à la maison !

Émeline retira le bébé du petit berceau qui côtoyait son lit et le présenta à son père.

– Voici notre garçon !

Les parents d'Émeline se retirèrent discrètement de la chambre pour permettre un moment d'intimité à la nouvelle petite famille réunie.

* * *

Le voisinage de la famille Gérald vit arriver avec amusement une mère, un enfant et un bouquet de fleurs transportant des valises. Une fois qu'ils eurent regagné leur résidence et déposé tous les bagages, David ne put attendre plus longtemps pour satisfaire sa curiosité.

– Alors, Émeline, peux-tu enfin m'expliquer la signification de cette incompréhensible missive ?

La jeune femme prit à son tour connaissance de la lettre avant de faire un quelconque commentaire.

– Ce message est codé, tout simplement.

– UN CODE ? Quel code ? Mais de qui ça vient et ça signifie quoi ? Et, surtout, pourquoi envoyer ça à toi ? Par l'entremise de moi ? Et comment allons-nous appeler le bébé, ma foi ?

Le nouveau papa n'arrêtait pas de gesticuler tout en défilant sa liste de questions. Émeline lui prit alors les mains en tenaille pour parvenir à le calmer. La jeune femme s'empara ensuite de l'enveloppe accompagnant la lettre dont elle déchira avec précaution les rabats arrières. L'intérieur du papier laissait maintenant voir une longue série de chiffres :

1-22-2-28-3-14-4-15-5-3-6-21-7-11-8-10-9-9-10-11-11-27-12-5-13-4-14-7.

David vit Émeline s'asseoir et prendre un crayon. Elle compta les mots du message et en encercla certains. Une fois sa tâche terminée, la jeune femme demeura songeuse un instant.

– Tu vois, mon chéri, dans cette suite de nombres tu remarqueras tout d'abord les chiffres de 1 à 14 qui alternent une fois sur deux. Ceux-ci représentent l'ordre des paragraphes du texte. Le chiffre qui les sépare est le mot qu'il faut compter et conserver. Ce qui donne finalement le message suivant :

situation-générale-attention-victimes-beau-moment-amis-balayer-malheurs-conclusion-chance-arrivait-sept-mais.

Le reste du texte n'est qu'un leurre destiné aux indiscrets !

– Et peut-on connaître la traduction de ce mot d'amour ? ironisa David.

– Bien sûr : La dictature en Haïti fait de plus en plus de victimes et un moment propice pour le début de la révolte se présentera le sept mai prochain !

L'ambassadeur haïtien en avait le souffle coupé.

– PARDON ? ! !... Huiiih !... Tu... Tu fais partie de ces révolutionnaires... toi... ma... mon épouse ! Réalises-tu dans quelle situation tu me places ? As-tu pensé à ma situation justement ? J'aimerais te rappeler humblement que je suis ambassadeur pour ce gouvernement que TU veux renverser ! ! !

– Ce pseudo-gouvernement auquel tu collabores n'a aucune légitimité ! Dis-moi donc quand a-t-il été élu, cher ambassadeur ?

David sursauta une nouvelle fois à l'audition du verbe dérivé du mot collaborateur. En reprenant son souffle, il déclina sa réplique sur un ton monocorde témoignant de sa volonté de conserver le contrôle de ses émotions.

– Laisse-moi te dire, Émeline, que je « collabore » , comme tu prétends, avec le nouveau président Duvalier uniquement pour permettre un assouplissement du régime. Du même coup, je protège ma famille qui, contrairement à la tienne, a eu le courage de demeurer en Haïti. C'est trop facile pour les gens de la diaspora de faire la leçon aux autres !

Piquée au vif, Émeline s'emporta un peu.

– Premièrement, mon ancêtre a mis les pieds en sol québécois dès 1794 ! Alors comparons ce qui se compare ! Deuxièmement, ouvre les yeux sur ce qui se passe dans ton pays et sur ce que fait ton cher président ! Ce jeune bouffi prétentieux, du haut de ses 19 ans, ne changera rien à cela ! Papa Doc l'a trop bien formé ! D'autres n'auront pas ta lâcheté d'attendre faiblement un hypothétique sursaut d'humanité chez lui !

Pire qu'un collaborateur, David venait d'être accusé de lâcheté par sa propre épouse. Sans même avoir eu le temps de défaire ses bagages, l'ambassadeur reprit le chemin de la capitale étasunienne. Il n'eut qu'une phrase laconique à dire en guise d'au revoir :

– Je retourne accomplir ma lâche tâche.

Émeline n'essaya même pas de retenir son mari. Elle n'eut finalement pas le temps de lui expliquer son rôle dans le mouvement démocratique haïtien qui préparait le soulèvement. La jeune femme servait de relais entre une organisation locale prête à l'action et les membres d'un gouvernement provisoire qui s'organisait à l'extérieur de l'île. Qui mieux qu'elle, grâce au travail de son époux, pouvait faire office de boîte postale entre les diverses factions rebelles ? Ce lien, cependant, risquait d'être rompu pour un léger moment !

David, quant à lui, ne pouvait deviner que cette visite à son épouse et la rencontre de son fils naissant seraient les dernières. Il ne connaîtrait finalement jamais le prénom que son enfant porterait : le sien !

Faisons ici, en guise d'intermède, un bref saut dans le futur. Quelques années après le séjour de David Gérald en Haïti, Ludovic Cruchon, voulant réorienter sa carrière, tenta un jour l'expérience de prendre la direction d'une école québécoise (son cousin Louis ne voulant surtout pas le voir revenir en France !). Son institution scolaire faisant partie du voisinage, le gendarme, temporairement reconverti en directeur, fut alors invité à l'inauguration de la garderie de la coopérative fondée par le trio, Jocelyn, Laïka et David. Ce dernier, en pleine campagne électorale pour un poste de député, ne put assister à cet événement. Sans cela, il se serait trouvé face à face avec une vieille connaissance croisée en Haïti.

La coopérative Paix, Liberté, Justice prit rapidement de l'ampleur. Située à la limite extrême du quartier industriel, elle côtoyait en été les récoltes des champs voisins. En plus d'importer différents produits équitables (dont le café bien sûr !), elle s'occupait de l'édition de magazines et du recyclage de divers matériaux. L'expérience haïtienne avait finalement permis aux anciens stagiaires de créer leurs propres emplois.

C'est lors de l'inauguration de la garderie que Cruchon proposa à Jocelyn et à Alain de recevoir avec lui, en juin prochain, une délégation du ministère japonais de l'Éducation. Pour tout observateur, le choix du directeur dans la composition de son comité d'accueil paraissait plus que bizarre. Néanmoins, les détails de cette rencontre se conclurent à l'extérieur tout en attendant l'autobus municipal. Jocelyn glissa un peu sur ses principes et accepta finalement de venir en aide à l'autorité scolaire pour séduire les visiteurs asiatiques.

Quelques mois après une épuisante course électorale, David sentit le besoin d'aller se reposer à la ferme des parents de son ami Jules Dubrûle. Maintenant élu député de la circonscription de Joliette, il tenait à se ressourcer quelques jours avant de continuer cette nouvelle expérience. Il prit part aux travaux des champs et côtoya ainsi l'insupportable sœur de Jules. Ce dernier profita également de la proximité de son ancien costagiaire pour lui proposer subtilement de l'embaucher comme garde du corps. David lui rappela encore qu'un simple député n'avait pas droit à un personnel de protection. Par contre, il lui promit sur leur amitié que, si le chef du gouvernement faisait l'erreur de le nommer un jour à un poste de ministre, il emploierait ses services. Ah ! Les promesses de politicien ! …

Pendant ce temps, à Québec, Laïka avait rencontré un étudiant étranger inscrit à l'université Laval. Il s'agissait d'un jeune Haïtien venu au Québec le temps de compléter son baccalauréat. Elle eut l'idée de rendre service à son ami David. Le père de cet étudiant haïtien, ambassadeur comme le fut le paternel de David, a peut-être connu ce dernier. C'était, à tout le moins, ce que la femme en fauteuil roulant espérait. Sa recherche fut malheureusement infructueuse, mais elle se découvrit cependant une forte attirance pour le jeune Antillais. Tout cela n'alla pas plus loin qu'une sorte de coup de foudre sans lendemain.

Ici se termine l'intermède. Retour en 1971.

Lâcheté

En ce début de journée du 7 mai, à Port-au-Prince, David ne faisait rien de mieux que de tourner en rond dans son bureau. En plus de ne pas avoir reparlé à son épouse depuis son départ du Québec, il n'ignorait pas que la fatidique journée était arrivée. Selon le message d'Émeline, en effet, une révolte devait avoir lieu aujourd'hui ! Par contre, nul indice sur le lieu choisi pour lancer l'offensive. Et même s'il le savait, que ferait-il ? Trahirait-il son épouse et surtout l'espoir de son peuple ? Parce qu'en fin de compte, il partageait en grande partie l'opinion d'Émeline. Il avait beau essayer de se mentir à lui-même, la réalité le rattraperait peut-être bientôt. David avait simplement voulu un avenir meilleur pour ses cinq frères et ses trois sœurs. C'était sa principale motivation pour avoir accepté ce poste d'ambassadeur. Ainsi, il croyait protéger ses proches des exactions commises dans le passé et de l'extrême pauvreté qui menaçait 80% de la population. L'irruption impromptue de sa secrétaire coupa court à sa réflexion.

– Monsieur Racine, pardonnez-moi de vous déranger, mais la voiture dépêchée par le ministre de la Sécurité intérieure est arrivée.

– Merci… Dites au chauffeur que je viens tout de suite.

David referma la porte sur son bureau et sur ses pensées empreintes de tristesse. Il ne disposait même pas d'une photo de son fils à regarder pour se souvenir de lui. Parvenu au véhicule qui l'attendait, l'ambassadeur resta étonné en reconnaissant le chauffeur.

– Vous ? Mais vous êtes le gendarme qui travaille pour Jean-Bertrand, n'est-ce pas ?

– Oui, monsieur. Hé ! Hé ! Hé ! Laissez-moi me présenter : Ludovic Cruchon, responsable de la sécurité dans les usines du ministre Carotitid.

David monta à l'arrière de l'automobile comme lui invitait à faire Cruchon en tenant la portière ouverte. Pendant que le petit homme en uniforme courbait respectueusement le dos, l'ambassadeur partagea un questionnement.

– J'ignorais que Jean-Bertrand possédait des entreprises… Quelles sortes au juste, d'ailleurs ?

– Le ministre est propriétaire de plusieurs manufactures de vêtements et même d'une usine de balles de tennis… C'est cette dernière justement que M. Carotitid vous propose de visiter ce matin !

David demeurait surpris de cette nouvelle. Trop préoccupé par ses problèmes personnels, il n'avait pas vu la nécessité de s'informer précisément de son horaire de la semaine. Comment son ami faisait-il donc pour ne pas tomber dans le conflit d'intérêts en occupant à la fois un poste de ministre et un autre de patron d'entreprise ? Et pourquoi son ami désirait-il, à ce moment-ci, lui présenter cette autre facette de sa vie ?

* * *

David n'eut pas le loisir de se soucier trop longtemps des projets de Jean-Bertrand. Comme pourchassé par la fatalité, l'ambassadeur se retrouva plongé vers d'autres problèmes dès son arrivée à l'usine. Le gendarme Cruchon, ayant à bord de son véhicule une radio utilisée par la police, permit d'intercepter l'information concernant le début de la rébellion.

« Toutes les unités disponibles rendez-vous à l'usine de balles de M. Carotitid ! Des travailleurs viennent de déclencher un mouvement de grève ! »

– Bon sang ! C'est ici que ça commence et les policiers sont déjà là !

L'exclamation que David n'avait pu retenir fit se détourner le gendarme. Le flair du limier s'était-il soudainement éveillé ?

– Pardon ? Qu'avez-vous dit, monsieur l'ambassadeur ?

David savait qu'il venait de trop parler ! Que dire pour éviter que les soupçons ne se tournent maintenant vers lui ?

– Euh !... Un bon politicien... tout comme un bon policier... doit savoir prévoir les coups ! Vous devriez connaître cela, monsieur Cruchon... Vous ne sentiez pas les problèmes qui flottaient dans l'air aujourd'hui ? J'ai peine à le croire venant d'un gendarme au nez si développé comme vous !

Flatté dans son orgueil, Ludovic ne put qu'approuver. Alors que lui comprenait le sens figuré, l'ambassadeur parlait bel et bien au sens propre de l'appendice nasal surdimensionné du gendarme.

– Bien sûr, monsieur Racine, je l'avais ressenti aussi ! D'ailleurs mon cousin me l'a souvent dit : « Ludovic, quel pif tu as ! » À ce propos, vous savez que mon cousin est un politicien plein d'avenir en France. C'est grâce à lui si je me suis retrouvé en Haïti. Louis me disait… (Mon cousin s'appelle Louis de Foutès… de Foutès est le nom de fille de ma mère, si je ne vous l'avais pas précisé.) Donc, Louis me disait : « Mon petit Ludovic, tu as le choix : tu peux t'inscrire dans la légion étrangère ou bien devenir gendarme en Haïti. Ta mère ne supporte plus de te voir flâner à la maison à 35 ans ! » Comme je n'ai pas réussi les tests physiques de la légion, je me suis retrouvé ici. J'ai ensuite eu le bonheur d'être embauché par le ministre Carotitid.

Ces derniers mots rappelèrent Jean-Bertrand à la mémoire de David. Et du même coup lui fournirent un bon sujet pour dévier enfin une conversation qui commençait à être assommante.

– Tandis qu'on en parle, où se cache donc votre ministre ? Ne devrions-nous pas le voir aux côtés des policiers ?

L'ambassadeur débarqua de l'automobile et prit la direction du lieu où se situaient les forces de l'ordre entourant l'usine. Il fut presque aussitôt suivi par le gendarme désormais inquiet pour son patron. David s'adressa ensuite au chef du groupe.

– Excusez-moi, commandant, pouvez-vous me dire où se trouve le ministre Carotitid ?

Débordé, le policier répondit sèchement à son interlocuteur.

– Dégagez, monsieur, nous avons autre chose à faire !

Bien que n'appréciant pas user de son poste pour imposer le respect, David crut ne pas avoir le choix dans la situation.

– Savez-vous que vous parlez à un ambassadeur de notre glorieux président Duvalier, commandant ?

Alors que le constable semblait hésiter, le gendarme Cruchon intervint pour s'assurer entièrement de sa bonne collaboration. Ludovic lui glissa discrètement une bonne liasse de gourdes* dans la poche. Ayant vaincu ses dernières réticences, le policier était désormais tout dévoué à nos deux amis. Étant souvent sous-payés, les employés du secteur public de la plupart des pays du tiers-monde s'achetaient facilement et à vil prix.

– Monsieur Carotitid est prisonnier à l'intérieur de son bureau. Nous sommes d'ailleurs en contact avec lui par téléphone... Vous désirez lui parler ?

David accepta bien entendu en se disant qu'il en apprendrait davantage en remontant directement à la source de l'action. On lui tendit ainsi l'appareil de communication de la police.

– Allô, Jean- Bertrand ?... C'est ton ami David Racine ! Comment vas-tu ? Raconte-moi donc ce qui s'est passé...

La voix du ministre, à l'autre bout du fil, trahissait sa grande impatience.

– C'est très simple à résumer, David. Ce matin, mes ingrats d'employés ont commencé à vouloir aller au petit coin à tout moment selon leurs besoins. Moi qui déjà leur laissais généreusement la possibilité de s'y rendre une fois par jour ! Dans certaines usines de mes collègues, ils n'y vont même pas du tout... Tu te rends compte ? De quoi se plaignent-ils alors ? Ensuite, un délégué est venu me rencontrer pour revendiquer quelques autres stupidités du genre. Ces trucs-là

* monnaie du pays

ralentissent la productivité et menacent mes profits, tu imagines ? ! Et moi qui voulais justement t'offrir de participer à la gestion de cette lucrative entreprise ! Enfin bref, j'ai dû mettre à la porte ce syndicaliste communiste ! J'ai même été contraint de salir mon propre soulier pour l'envoyer, car cet abruti de Cruchon n'était pas encore revenu ! Et le comble de tout cela, je te laisse le deviner…

Ludovic, piaffant d'impatience, désirait savoir ce que son patron racontait. David, un peu embêté, lui répondit vaguement :

– Il dit que ça ne va pas trop mal et que vous lui manquez beaucoup !

Le gendarme, maintenant rassuré, demeura alors tranquille aux côtés de l'ambassadeur tout en arborant un sourire niais de satisfaction personnelle. Le ministre, lui, avait continué son monologue sans s'apercevoir de la distraction de son ami Racine.

– … Les machiavéliques rebelles ont fomenté une grève tout en prétendant qu'ils ne reprendraient pas le travail tant qu'ils n'auront pas gain de cause. Face à la soudaine tournure des événements, j'ai dû me barricader à l'intérieur de mon propre bureau le temps qu'on mate ces ingrats ! Ce que n'ont toujours pas réussi à faire ces incompétentes forces policières ! Si elles en sont incapables, alors qu'elles appellent l'armée ou les macoutes ! ! !

Le commandant de la police, démontrant à son tour de la curiosité, tira sur la manche de l'ambassadeur en lui susurrant à l'oreille :

– Que dit-il ? Partagez-moi ce qu'il raconte, s'il vous plaît, Votre Excellence !

Encore une fois mal à l'aise face à cet enfantillage, David répliqua avec ironie :

– Il dit que vous faites un excellent boulot et qu'il vous recommandera à vos supérieurs pour une promotion !

Qu'avait-il pris à l'ambassadeur Racine d'exagérer autant ? Néanmoins, il obtint la paix tant désirée de ce côté-là aussi ! Un bruit assourdissant qui sortit du téléphone, suivi d'un cri lancé par Jean-Bertrand, coupa court à toute autre réflexion. Inquiet, David tenta d'en savoir plus.

– Jean-Bertrand ? ? Que se passe-t-il ?

Paniqué, le ministre put quand même répondre, mais on devinait bien qu'on tentait de lui enlever l'appareil téléphonique des mains.

– Allô, David ! Ces salauds de rebelles viennent de forcer ma porte et essaient de me capturer ! ! ! Venez tout de suite… Envoyez les troupes ! AU SECOURS ! ! !

Conservant étonnamment bien son sang-froid, l'ambassadeur sortit cette phrase sur un ton calme :

– Passe-lui le téléphone, Jean-Bertrand !

Tiraillé de toutes parts, le ministre peinait à soutenir la conversation.

– De qui parles-tu ?

– Le chef des rebelles, je veux lui parler… Passe-le-moi !

Tout à coup, à la surprise de tous, Jean-Bertrand tendit docilement le cornet du téléphone à son agresseur et lui dit comme si de rien n'était :

– C'est pour vous !

Interloqué, le représentant des employés ne prit l'appareil qu'après quelques secondes d'hésitation.

– Oui… Euh ! Allô ?

D'une voix assurée, David prit la parole.

– Bonjour cher ami et sympathique révolté, c'est l'ambassadeur David Racine à l'appareil. Vous allez bien, dites-moi ? Je suis en plein accord avec la plupart de vos revendications, vous savez, mais pas avec vos moyens ! Ce n'est pas par la violence qu'on obtient quelque chose ! Et, croyez-moi, je parle par expérience : je suis marié depuis 18 mois et chaque fois que nous avons haussé le ton entre nous, rien ne se réglait ! D'ailleurs, je suis présentement en froid avec Émeline et…

Ce prénom fit réagir le rebelle :

– Émeline ?… Parlez-vous d'Émeline Gérald ?

– Exactement, c'est ma douce épouse, vous la connaissez ?

– Ainsi, c'est vous le facteur !

David avait bien compris ce à quoi le chef rebelle voulait faire allusion, mais il se savait écouté ! Il prendrait bien garde à ne pas se trahir devant les forces policières ! Ayant maintenant la certitude qu'il disposait désormais d'une attention accrue de son interlocuteur, David en profiterait.

– Comme je vous le disais, cher révolutionnaire délirant d'optimisme, votre action ne peut mener qu'à un cul-de-sac ! Votre patron, que je connais assez bien, est un homme intraitable ! Vous n'aurez rien de lui ainsi. Quel moyen de pression avez-vous ? Le torturer ? Ou même le tuer ? De toute manière, les gens aux commandes le laisseraient tomber immédiatement ! Ce n'est qu'un pion dans ce grand jeu de pouvoir et d'enrichissement... Si, par contre, vous consentez à le relâcher et à retourner au travail, je négocierai pour vous de meilleures conditions. Votre colère aura sûrement éveillé un peu les consciences. De ce côté-ci, on s'apprête à envoyer l'armée, vous risquez de tout y perdre... même la vie !

Un silence suivit l'appel à la raison lancé par David. Ce dernier avait touché une corde sensible et il entendit les rebelles discuter en bruit de fond. Alors que les forces policières se préparaient à l'assaut, l'ambassadeur savait le temps compté. Comble de tout, c'est à ce moment angoissant que Ludovic sortit de sa torpeur !

– Est-ce que je pourrais dire un mot d'encouragement à mon patron s'il vous plaît ?

Malgré la question énervante du gendarme, David réussit à conserver son calme.

– Monsieur Cruchon, un éléphant entrant dans un magasin de porcelaines arriverait plus à propos que vous ! Laissez-moi donc vous dire poliment d'aller vous rasseoir ! ! !

Après encore quelques autres minutes à transpirer, le chef rebelle revint à l'appareil pour faire connaître leur décision.

– Bon ... monsieur l'ambassadeur... nous avons voté et finalement nous nous rallions à vos arguments... Nous espérons seulement que ne décevrez pas nos espoirs mis en vous !

David poussa un soupir de soulagement et annonça que tout était fini.

– Ouf ! Ils ont renoncé ! Il ne nous reste plus qu'à…

C'est à ce moment que la porte d'entrée de l'usine s'ouvrit. On vit en émerger du cadre Jean-Bertrand en bonne santé, bien que portant visiblement les traces d'une légère bousculade. Sans plus attendre d'autres explications, les services de l'ordre, suivis de près par le gendarme Cruchon, foncèrent vers la fabrique de balles de tennis. Ludovic se précipita au devant de son patron, tandis que les autres pénétrèrent avec force dans l'usine. Tous furent accueillis avec « enthousiasme », à commencer par le gendarme.

– Où étiez-vous donc, monsieur Cruchon ? ! !… J'ai dû faire votre travail, moi !… Je ne sais pas ce qui me retient de vous retourner à votre cousin, ficelé dans une caisse avec juste ce qu'il faut d'affranchissement pour regagner la France en courrier de seconde classe !

Décontenancé par la réaction de son ministre de patron, le gendarme esquissa des excuses.

– Pardon, patron ! pardon… je ne comprends vraiment pas…

Les employés révoltés eurent, de leur côté, beaucoup moins de chance, car ils furent cueillis à coups de bâtons et embarqués sans ménagement à l'intérieur d'autobus cellulaires ! David était estomaqué face à cette brutalité policière et tenta désespérément de l'empêcher. L'ambassadeur lisait la déception dans le regard de ceux à qui il avait tant promis. Cette douleur dans leurs yeux était pour lui bien pire que n'importe quelle insulte verbale. Encore une fois, le système avait été plus fort que la bonne volonté des individus.

* * *

Trois jours après ces tristes événements, David sombrait de plus en plus dans un état dépressif. Dans son logement de Port-au-Prince, d'où il ne sortait presque plus, il pouvait demeurer des heures à regarder une photo de sa famille québécoise. Malgré les taquineries de sa belle-mère, malgré l'insulte de son épouse, toutes ces personnes lui manquaient affreusement. Cependant, il refusait quand même de répondre à Émeline à chaque fois que cette dernière tentait de le rejoindre. Honteux de raconter comment il avait réellement fait preuve de lâcheté et de naïveté lors du soulèvement à l'usine de balles, il n'osait plus parler à sa femme.

Il songeait aussi à ce fils qu'il n'avait pu tenir dans ses bras que quelques trop courts instants.

Il se rappelait avec nostalgie comment, il y a trois ans, en visite à New York pour voir une tante éloignée, il rencontra deux jeunes et charmantes Québécoises. Émeline Gérald était bien évidemment l'une d'elles. Elle était accompagnée de sa meilleure amie, Isabelle Dumontier. Toutes deux découvraient pour la première fois l'île de Manhattan : son « Empire State Building » aux 102 étages, son parc central, qui trace une ligne de fraîcheur en plein milieu de cette mégalopole, et sa statue de la Liberté, cadeau offert par la France pour souligner le centenaire de la déclaration d'indépendance des États-Unis d'Amérique de 1776.

C'est d'ailleurs à cet endroit qu'eut lieu la fameuse rencontre. Gravir les nombreuses marches dans un étroit corridor menant à la couronne n'était pas une mince tâche. C'est tout là-haut que le futur ambassadeur, accompagné d'une jolie jeune fille, croisa les deux touristes québécoises. Quelle ne fut pas sa surprise d'entendre parler français parmi la foule. À l'étranger, certains points communs comme la langue, l'âge et la couleur de la peau peuvent ainsi provoquer un contact entre des inconnus. Voilà pourquoi David osa s'adresser à la douce Émeline et à son amie Isabelle.

Naturellement, ils se présentèrent et, comme une chimie inexplicable, des liens se créèrent entre les quatre jeunes gens. Au tout début, Émeline ignorait que la compagne de David n'était en fait que sa cousine newyorkaise. Elle ne laissa donc son intérêt particulier pour le dynamique Haïtien se développer qu'à la fin de leur séjour dans la Grosse Pomme (ainsi surnomme-t-on New York). Ils échangèrent leurs adresses et se promirent bien de garder contact. Parole tenue, car l'aîné de la famille Racine alla bientôt découvrir le Québec. Son premier contact avec sa future belle-famille fut à l'époque très harmonieux. Ce n'est que très récemment, plus précisément lors de l'annonce que David acceptait de collaborer au gouvernement d'un fils de dictateur, que tout s'envenima !

– Quand je pense que ma femme partage les idées révolutionnaires de la diaspora jusqu'au point de se servir de moi… et ce, à mon insu !

David oubliait, ou ne voulait surtout pas voir, que peu de gens s'illusionnaient comme lui sur les chances de réformes, même sur le territoire national ! Le premier peuple d'esclaves ayant acquis son indépendance, proclamée dès le premier janvier 1804, avait su résister à l'armée napoléonienne. Cet élan d'émancipation devait beaucoup à Toussaint Louverture, un esclave devenu général qui prit la tête du soulèvement. Victime d'une trahison, il mourut en prison. Peu avant de rendre l'âme, il adressa une missive à l'empereur Bonaparte en ces termes : « Le premier des Noirs au premier des Blancs... » ! Beaucoup reconnaissent aujourd'hui Louverture comme ayant été de la trempe des grands libérateurs de peuples, tels Bolivar ou Washington.

« Pourquoi, se demandait alors David, notre république n'a-t-elle eu droit qu'à des usurpateurs sans scrupules pour la diriger ? Même ceux qui avaient combattu aux côtés du général Toussaint Louverture, comme Christophe, se transformèrent en exploiteurs et en bourreaux ! C'est comme une malédiction qui perdure encore aujourd'hui ! »

Tout regain d'énergie était immédiatement suivi par un moment de déprime. Et celui-ci fut véhiculé par le bulletin de nouvelles télévisé.

– ...Dans l'affaire des « révoltés du tennis », comme les autorités les ont nommés, la justice n'a pas perdu son temps. Les meneurs de l'insurrection, accusés de haute trahison, ont été jugés et condamnés à la peine capitale par un tribunal militaire. Leur exécution ne saurait par ailleurs tarder !

David n'en revenait pas; le fond du baril venait d'être atteint ! Non seulement ses promesses ne tiendraient pas, mais on éliminerait les gens qui avaient commis l'erreur de lui faire confiance ! Voilà qui provoqua une nouvelle descente vers le désespoir ! Après plusieurs minutes de méditations, encore une fois, l'alternance des émotions le fit se relever avec une énergie étonnante !

– Sapristi ! Il n'est pas question de laisser faire cette infamie sans réagir ! Je dois au moins tenter quelque chose ! Mais quoi ?...

L'ambassadeur tourna nerveusement sur place en cherchant une petite branche à laquelle se raccrocher. Puis la lumière, plutôt une lueur, lui apparut ! Il prit un crayon et rédigea spontanément un appel au président Duvalier pour réclamer grâce. Cela devint un réquisitoire général contre la peine de mort avant de se terminer en sollicitant la clémence pour les « révoltés du tennis ». Une quinzaine de minutes seulement lui furent nécessaires pour compléter la missive, tant la fièvre de l'inspiration l'avait atteint profondément.

– Bon... à cette heure il est encore temps de la faire dactylographier par ma secrétaire...

Et David partit de ce pas vers son bureau.

* * *

Justine fut grandement étonnée de voir enfin apparaître son patron après trois jours d'absence et de mutisme.

– Monsieur Racine, quelle surprise ! Dois-je vous

faire livrer par camion la tonne de messages qui vous attendent ?

David n'entendait évidemment pas à rire et répliqua froidement:

– Je vous dispense, Justine, de combler vos heures libres en pratiquant l'humour. Contentez-vous plutôt de mettre au propre cette lettre. Ensuite, vous en préparerez des copies pour tous les grands médias nationaux et internationaux, pour le président bien sûr et... pourquoi pas... à ma femme ! Ainsi, marmonna-t-il dans la barbe qu'il n'avait pas, elle pourra voir que je ne suis pas si indifférent à la cause du peuple !... Avant de les poster vous attendrez mon approbation finale.

Tandis que la secrétaire préparait les envois, tout en rechignant un peu, David eut encore une autre idée.

– Et pourquoi n'irais-je pas également voir Jean-Bertrand ? Lui aussi a sûrement de l'influence en tant que ministre de la Sécurité intérieure !

L'ambassadeur prit tout juste le temps de signer les lettres et partit vers l'usine... Justine se retrouva seule. Au moment de terminer son travail, elle eut l'idée d'envoyer immédiatement la copie destinée à Émeline.

– Cette pauvre femme aura au moins la chance de lire quelque chose en provenance du patron. Voilà dix jours qu'il ne lui a plus donné de nouvelles. Cela la rassurera de voir un peu ce que fabrique son mari. En postant la lettre tout de suite j'évite le cas où monsieur Racine changerait d'avis. Je me trouverai bien une excuse pour justifier mon « erreur » !

Comme la journée était déjà bien avancée, Justine n'attendit pas le retour de l'ambassadeur et quitta le bureau à 17 h. C'est justement sur le chemin la menant chez elle que la secrétaire mit dans une boîte aux lettres la copie à destination du Québec.

* * *

Lorsque Justine revint le lendemain matin, elle ouvrit la porte sur un véritable chantier. Tout était sens dessus dessous ! On avait tout fouillé, comme le témoignait la montagne de documents étendus pêle-mêle au sol. Plusieurs objets brisés ou renversés laissaient même deviner des traces de violence.

– Oh ! Ça alors ! Nous avons été victimes d'un cambriolage ! ! ! Je dois tout de suite en informer monsieur Racine et ensuite les policiers. Quand je pense au ménage qu'il faudra faire… Mais qu'a-t-on bien pu nous voler ?

Justine ne parvint pas à contacter l'ambassadeur… et les forces de l'ordre ne trouvèrent aucune piste pour éclairer tout ce mystère ! Elle ne s'aperçut bien des jours plus tard, que seules les lettres concernant l'appel au président Duvalier avaient disparu.

Ce que la secrétaire ne saura sans doute jamais, c'est que suite à sa visite au ministre Carotitid, David Racine fut déclaré en hauts lieux comme trop dérangeant pour le pouvoir en place ! Voulant expédier lui-même ses lettres de demandes en grâce, David revint ce jour-là vers les 18 h 30 à son bureau. Il fut accueilli par des policiers corrompus, accompagnés de plusieurs Tontons macoutes, qui fouillaient dans ses affaires. Avant même d'avoir pu esquisser une fuite, la porte fut refermée derrière lui.

L'ambassadeur savait dès lors qu'il ne reverrait plus les siens. Sa trop grande confiance en ceux qui l'avaient nommé à ce poste scella son destin ! Se tenir debout lui coûta finalement très cher. Lui qui ne cherchait qu'à assurer une vie plus facile pour sa famille...

L'âge adulte

Bien des années ont passé depuis le stage en Haïti. L'ami Jules Dubrûle se retrouve aujourd'hui à travailler avec David. Ce dernier, après avoir fondé une coopérative en compagnie de Laïka et Jocelyn, a choisi de se lancer dans une carrière politique*. Il espère ainsi pouvoir changer un peu ce monde trop souvent injuste. Une vie de danger allait bientôt poindre… comme ce jour-là !

* Pour connaître les raisons de cette curieuse décision, lisez *Le révolutionnaire*. Ce roman se retrouve à l'intérieur de la BD-Rom, *Échec à la guerre*.

Qui voudrait tuer DAVID GÉRALD?
TEXTE : Matou
DESSIN : Jocelyn 2003
Amphithéâtre de Lanaudière
Joliette · Québec
BONJOUR! BIENVENUE DANS LE BUREAU DE DAVID GÉRALD!
VOUS VOUS DEMANDEZ QUI JE SUIS?
SIMPLE : SON GARDE DU CORPS!... POURQUOI UN GARDE DU CORPS?

PARCE QUE DAVID GÉRALD A UN HORAIRE TRÈS CHARGÉ, AVEC DES CENTAINES D'APPARITIONS PUBLIQUES ET DE DÉPLACEMENTS PAR ANNÉE.
AUTANT DE CHANCES DE SE FAIRE ENLEVER, BLESSER, TIRER OU PIRE... INJURIER!
JE SAIS. VOUS VOUS DITES : "SI DAVID GÉRALD EST SI OCCUPÉ, SA SÉCURITÉ DOIT DONC ÊTRE TRÈS DIFFICILE À ASSURER!"

EH! BIEN, PAS LE MOINS DU MONDE! À VRAI DIRE, ÇA EN EST PRESQUE BANAL.

"ENTRE LA REMISE DE BOUQUETS PAR UNE ORGANISATION DE BIENFAISANCE..."
UNE ABEILLE DISSIMULÉE DANS LES TULIPES?!... VOUS AURIEZ VOULU ATTENTER AU VISAGE DE MONSIEUR GÉRALD QUE VOUS NE VOUS Y SERIEZ PAS PRISE AUTREMENT!!

"... ET LES REPORTAGES DE TÉLÉVISION."
PAS SON PROFIL! JE VOUS INTERDIT DE LE PRENDRE DE PROFIL!
LA PROTECTION DE M. GÉRALD EST QUELQUEFOIS INVOLONTAIREMENT RELÂCHÉE QUAND IL SORT À L'IMPROVISTE...
... COMME IL VIENT DE LE FAIRE CE SOIR!

OH! CE N'EST PAS QU'IL AIT À SE DÉFENDRE... M. GÉRALD N'A PAS D'ENNEMI... MAIS, LORSQU'ON EST IMPORTANT, ON SE DOIT D'AVOIR UNE PROTECTION!

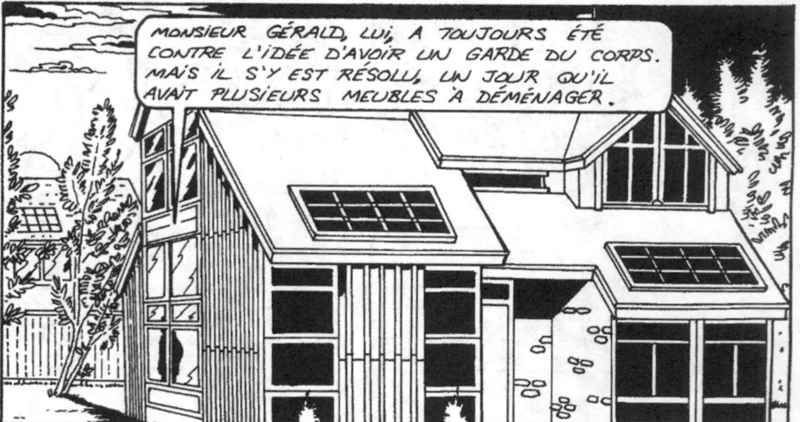
MONSIEUR GÉRALD, LUI, A TOUJOURS ÉTÉ CONTRE L'IDÉE D'AVOIR UN GARDE DU CORPS. MAIS IL S'Y EST RÉSOLU, UN JOUR QU'IL AVAIT PLUSIEURS MEUBLES À DÉMÉNAGER.

ÉVIDEMMENT, TOUT LE MONDE SAIT QUE LA PREMIÈRE QUALITÉ D'UN GARDE DU CORPS EST SA FORME PHYSIQUE, VIENT ENSUITE SON GABARIT, ET ENFIN SA POCHE-REVOLVER!
MOI, QUAND JE SUIS EN DIFFICULTÉ ET QUE J'AI BESOIN DE RENFORT, JE PORTE LA MAIN À MA POCHE-REVOLVER.
ET ZLOUP! JE SORS MON POT DE VITAMINES!... RIEN DE TEL POUR SE REVIGORER. ILS SE TIENNENT LOIN, LES BANDITS, APRÈS ÇA!...
N'EMPÊCHE QUE SI QUELQU'UN S'ATTAQUAIT VRAIMENT À DAVID GÉRALD, JE CROIS BIEN QUE JE LUI CASSERAIS... TIENS? L'OBJET AUQUEL IL TIENT LE PLUS!... ET PUIS NON...
...RIEN NE DOIT JUSTIFIER LA VIOLENCE! D'AILLEURS M. GÉRALD A POSÉ DEUX CONDITIONS À MON TRAVAIL: NE JAMAIS UTILISER LA FORCE ET...
GLOUP!
DRIIi
...TOUJOURS LAISSER LE RÉPONDEUR AUTOMATIQUE EN FONCTION DURANT SON ABSENCE.
DRIiiiiiNG!
DRIiiiNG!

BONJOUR, VOUS ÊTES BIEN AU BUREAU DE DAVID GÉRALD. J'AI DÛ M'ABSENTER POUR UN MOMENT, AUSSI, VEUILLEZ ME LAISSER UN MESSAGE. JE VOUS RAPPELLERAI DÈS MON RETOUR. MERCI!...
BIIIP!
?!
MONSIEUR GÉRALD, VOUS VOUS DIRIGEZ SÛREMENT VERS LA COOPÉRATIVE... TRÈS BIEN!... LÀ-BAS, NOUS VOUS PRÉPARONS UNE SURPRISE, HÉHÉ!
J'ESPÈRE QUE VOUS VOUS SOUVENEZ DE NOUS... NOUS AVONS FAIT LA UNE DES JOURNAUX IL Y A QUELQUE TEMPS, ET CELA GRÂCE À VOUS!... PAR VOTRE ACHARNEMENT AUPRÈS DU MINISTRE DE LA JUSTICE POUR NOTRE CAS, VOUS AVEZ FINI PAR NOUS FAIRE CONNAÎTRE LES TROIS PLUS AFFREUSES PRISONS DU PAYS!
HEUREUSEMENT, LA COLLABORATION DES DÉTENUS NOUS A PERMIS DE SORTIR AVANT L'ÉCHÉANCE. AUSSI, GRÂCE AUX RENSEIGNEMENTS QUE NOUS AVONS OBTENUS, NOUS EN CONNAISSONS PLUS SUR VOUS ET NOUS COMPTONS VOUS REMERCIER À NOTRE FAÇON!... CE SOIR, CE SERA VOTRE FÊTE!... ET PUISQUE VOTRE GARDE DU CORPS NE SERA PAS LÀ POUR DÉRANGER NOS PLANS, CE SERA DU GÂTEAU! JE CROIS BIEN QUE CE SERA LA DERNIÈRE FOIS QUE NOUS NOUS VERRONS, MONSIEUR GÉRALD!

ET BIEN, **NON**. CE NE SERA PAS DU GÂTEAU!... JE VAIS Y ÊTRE À VOTRE RENDEZ-VOUS! BANDITS! ...ALLÔ?... TÉLÉPHONISTE?...

QU'ILS LUI DONNENT **UN** COUP, UNE TAPETTE, UNE CHIQUENAUDE SEULEMENT, ET ILS AURONT AFFAIRE À MOI!...
AVEC MA CHANCE HABITUELLE, JE NE TROUVERAI PAS DE TAXI AVANT UNE HEURE!

(*) Voir histoires précédentes

NOUS NE SERONS JAMAIS À TEMPS AU POSTE DE POLICE! CONDUISEZ-MOI PLUTÔT VERS LA COOPÉRATIVE "PAIX, LIBERTÉ, JUSTICE!"

AH? DÉCIDÉMENT, ELLE EST POPULAIRE CETTE COOPÉRATIVE. PREMIÈREMENT J'Y CONDUIS CE COUPLE... ENSUITE JE
QUEL COUPLE?

UN COUPLE AVEC UN GROS COLIS... JE M'EN SOUVIENS PARCE QU'ILS M'ONT DIT QUE SI CETTE GROSSE BOÎTE TOMBAIT CE SERAIT CATASTROPHIQUE!

ILS M'ONT LAISSÉ ENTENDRE QU'ILS CONNAISSAIENT M. GÉRALD... IL ME SEMBLAIT LES AVOIR VUS QUELQUE PART RÉCEMMENT... MAIS OÙ EN ÉTAIS-JE?...
AH! OUI! LA COOPÉRATIVE... J'Y MÈNE CES DEUX CLIENTS; ET AU RETOUR, JE RENCONTRE M. GÉRALD QUI RETOURNAIT À SON BUREAU... PUIS JE VOUS PRENDS, VOUS!
VOUS DITES QUE M. GÉRALD RETOURNAIT À SON BUREAU?!

OUI. JE LUI AI OFFERT DE MONTER, MAIS IL A REFUSÉ, PRÉFÉRANT MARCHER.
DÉPOSEZ-MOI À UNE CABINE TÉLÉPHONIQUE!
MICRO TAXI
VOUS Y ÊTES! ÇA FERA HUIT BEAUX BILLETS!...
EN VOICI DIX!... LAISSEZ-MOI SEULEMENT UNE PIÈCE POUR APPELER ET GARDEZ LE RESTE!
ESPÉRONS QU'IL NE SOIT PAS REPARTI!
MERCI!
ÇA SONNE!... UN COUP... DEUX COUPS... AH! IL RÉPOND! ...ALLÔ!...
MONSIEUR GÉRALD...
BONJOUR...
ARRÊT
TÉLÉPHONE
TÉLÉPHONE
BONJOUR À VOUS AUSSI... IL FAUT
...VOUS ÊTES BIEN AU BUREAU DE DAVID GÉRALD. J'AI DÛ...

AH! NON! C'EST LE RÉPONDEUR! MON DIEU FAITES QU'IL DÉCROCHE!
... DÈS MON RETOUR. MERCI. BIIIIP!
TELEPHONE

ZUT! OH! PARDON!... MONSIEUR GÉRALD RÉPONDEZ... C'EST JULES DUBRÛLE, VOTRE GARDE DU CORPS! SI VOUS M'ENTENDEZ, DÉCROCHEZ! C'EST CAPITAL! DE GRÂCE!... RIEN À FAIRE!...
CLIC!
ET JE N'AI PLUS UN ROND!... DIRE QUE SANS CE FICHU RÉPONDEUR, J'AURAIS PU RÉCUPÉRER MA PIÈCE ET APPELER À LA COOPÉRATIVE.

BON! JE VAIS M'Y RENDRE À PIED... MAIS, À MOINS D'AVOIR UN CHIEN À MES TROUSSES, JE NE PENSE PAS POUVOIR Y ARRIVER À TEMPS!...

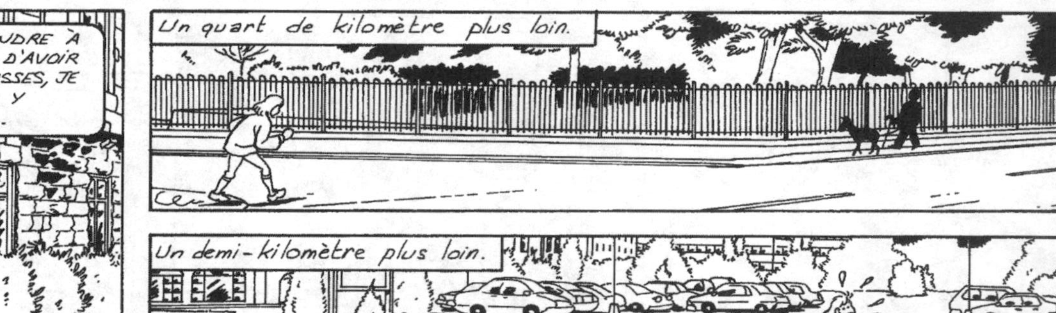
Un quart de kilomètre plus loin.
Un demi-kilomètre plus loin.
OUAF!

Et après UN kilomètre...
BOBOM BOBOM BOBOM
POUF! POUF!

J'Y PENSE... QUAND J'AI APPELÉ TOUT À L'HEURE "IL" N'ÉTAIT PEUT-ÊTRE PAS ENCORE ARRIVÉ AU BUREAU!
BOBOM BOBOM

LE MESSAGE! JE NE LUI AI PAS MENTIONNÉ L'ATTENTAT! C'EST TROP BÊTE!...

JE SUIS LA HONTE DE LA PROFESSION!

Un autre kilomètre plus loin.
ENFIN!... POUF! POUF!... LA COOPÉRATIVE!

PERSONNE!... LE SILENCE...
SORTIE

PAS DE LUMIÈRE NON PLUS...
CLIC CLIC

ALLONS DUBRÛLE, COURAGE!

DU BRUIT, LÀ-HAUT!...

LA VOIX DE M. GERALD!
... ILS SONT PLUSIEURS!

LE BRUIT, ÉTOUFFÉ, PROVIENT DE L'UNE DE CES PIÈCES!...

MAIS LAQUELLE EST-CE?...

PASSEZ-MOI LE COUTEAU! QUE JE LE DÉCOUPE, HÉ HÉ!

VOUS ALLEZ ENFIN Y GOÛTER, MONSIEUR GÉRALD!
CAFÉTÉRIA

QUE PERSONNE NE BOUGE !
MONSIEUR DUBRÛLE !? ...
Joyeux Annivers
m. Gérald

CE SOIR, L'ATTENTION... JE VEUX DIRE L'ATTENTAT, LE RÉPONDEUR... J'AI TOUT RÉPONDU... JE VEUX DIRE ENTENDU... ILS ONT DIT QUE CE SERAIT VOTRE FÊTE!...
ET ILS ONT EU RAISON!
VOUS ÊTES BLESSÉ ?! C'EST TROP TARD!... APPELEZ URGENCES-SANTÉ, POLICE - SECOURS!!!!
ATTENDEZ QUE JE VOUS EXPLIQUE!
LE MESSAGE, C'ÉTAIENT MES DEUX AMIS JOURNALISTES. ILS ONT RÉALISÉ UN REPORTAGE, IL Y A QUELQUE TEMPS, POUR DÉNONCER LES CONDITIONS DE VIE EN PRISON. ET, POUR ME REMERCIER D'AVOIR INSISTÉ AUPRÈS DU MINISTRE POUR QU'ILS PUISSENT ÉCRIRE LEUR ARTICLE, ILS ONT DÉCIDÉ DE ME FAIRE CETTE SURPRISE.

MAIS J'IGNORE ENCORE COMMENT ILS ONT PU SAVOIR QUE C'ÉTAIT AUJOURD'HUI MON ANNIVERSAIRE?
SECRET PROFESSIONNEL. HÉHÉ!...
LES PRISONNIERS ONT ÉTÉ FORMIDABLES. NOUS AVONS PU SORTIR NOTRE PAPIER EN UN TEMPS RECORD!... CE REPORTAGE NOUS A D'AILLEURS VALU UN ENGAGEMENT À L'ÉTRANGER. NOUS PARTONS DEMAIN POUR LA CHINE!...

MAIS JE NE COMPRENDS PAS... POURQUOI NE PAS M'AVOIR MIS DANS LE SECRET?...
NOUS CONNAISSIONS VOTRE APPÉTIT IMMODÉRÉ POUR LE GÂTEAU! LES DÉTENUS TENAIENT À CE QUE CE SOIT MONSIEUR GÉRALD, LUI-MÊME, QUI Y GOÛTE LE PREMIER!... AVEC VOUS DANS LES PARAGES RIEN N'AURAIT ÉTÉ MOINS SÛR!...
CLING!
HA! HA! HA! HA!
UNE LIME??...
fin

Table des matières

Les aventures de David Gérald

L'album *Balle perdue pour David Gérald* constitue une introduction au petit monde entourant David Gérald. En quinze années d'existence, ce personnage a connu six autres aventures sur les chemins de la solidarité internationale.
En voici un bref survol, suivi d'un regard vers l'avenir.

Les découvreurs

Le premier mai 1988 paraît une histoire de science-fiction dont l'un des personnages secondaires se nomme David Gérald. Après quatre années de gestation, entamées lors de l'été 1984, le politicien humaniste débute humblement sa carrière publique. Initialement, l'auteur avait fait de ce personnage un génial industriel dont les inventions réussissaient à créer un monde meilleur. Devant tant de réalisme on peut s'étonner de voir que tout a changé...

ouvrage non disponible

Les trois histoires suivantes ont paru dans la revue *Jeunes du monde* de septembre 1988 à mai 1991.

La francophonie

Une fanatique tente de se servir du déroulement des Jeux de la francophonie au Maroc pour faire cesser l'exploitation du tiers-monde.

Le pays de la paix

David Gérald, alors premier ministre du Québec, désire se faire élire président de la république. La France, lors de cette campagne électorale, envoie l'armée pour récupérer un de ses chalutiers arraisonné par les forces canadiennes.

La monda respubliko

Une conférence de l'ONU se termine de façon dramatique !

ouvrages non disponibles

Un peuple en otage

Jules Dubrûle, le garde du corps du président Gérald, s'envole à Jérusalem pour y passer ses vacances. Lorsque la Palestine déclare son indépendance, le gouvernement israélien instaure la loi martiale. Des terroristes profitent de cette situation et détiennent tout un peuple et même ce pauvre Dubrûle, en otages... Fidèle à son habitude, David Gérald cherchera une solution pacifique au conflit.

ouvrage disponible en BD-rom

Échec à la guerre

Un espion est capturé alors qu'il fouille le bureau du président Gérald. Un avion se précipite contre la résidence officielle du Gouverneur général canadien. L'armée bloque les frontières du Québec. Tout se met en place pour un grave conflit tandis que David Gérald se trouve au lac Saint-Jean, en territoire innu. Il désire faire découvrir ce peuple autochtone à son homologue français, Louis de Foutès.

ouvrage disponible en BD-rom

Victime du ciel

À Bogota, capitale de la Colombie, David, Laïka et Dubrûle sont confrontés à une secte exploitant les enfants de la rue. Le trio se rend ensuite au centre spatial de l'Europe en Guyane française. Là-bas, ils doivent assister au départ d'une fusée Ariane 4. Celle-ci sera ensuite détournée pour devenir une menace provenant du ciel.

ouvrage en préparation

La république assassinée 1832-1839

David Gérald nous raconte l'épopée de son ancêtre patriote dans le Bas-Canada de 1832 à 1839. La république du Québec se nommait ainsi à cette époque et subissait la domination coloniale de la Grande-Bretagne. Les forces d'occupation anglaises ne laissaient que peu de place à l'expression démocratique. Les élus du peuple demeuraient sans réel pouvoir depuis trop longtemps. Et, un jour, les patriotes n'eurent pas d'autres choix que se défendre pour faire respecter leurs droits.

ouvrage en préparation

Titres disponibles dans la collection

BD-ROM

L'orignal blanc, de Jean Lacombe.

Série *David Gérald*

Un peuple en otage, de Jocelyn Jalette.

Échec à la guerre, de Jocelyn Jalette.

Balle perdue pour David Gérald, de Jocelyn Jalette.